Vía rápida

Curso intensivo de español

Cuaderno de ejercicios

Vía rápida
Cuaderno de ejercicios

Autoras
María Cecilia Ainciburu
Elisabeth Tayefeh
Graciela Vázquez
Lourdes Miquel (novela)

Asesoría y revisión
María Cerrato, Valentín Cózar, Ernesto Rodríguez

Coordinación editorial y redacción
Lucía Borrero, Cristina Palaoro, Laia Sant, Sabine Segoviano

Diseño y dirección de arte
Guillermo Bejarano (interior), Óscar García Ortega (cubierta)

Ilustración
Marlene Pohle y Ernesto Rodríguez

Fotografías
Cubierta Álvaro Germán Vilela/Dreamstime, Andres Rodriguez/Dreamstime;
Unidad 1 pág. 9 Noam Armonn/Dreamstime; pág. 13 Difusión; pág. 15 Los Mininos/
Flickr; pág. 16 Marcin Okupniak/Dreamstime, Galina Barskaya/Dreamstime,
Stephanie Swartz/Dreamstime, Difusión, Yuri Arcurs/Dreamstime, Difusión;
Unidad 2 pág. 17 BreAnn Mueller/Istockphoto; pág. 24 Ialoking97/Flickr, Ángel
Raúl Rabelo/Flickr, Rami Katzav/Flickr, Alex Proimos/Flickr, Difusión, Mario
Sánchez/Flickr; **Unidad 3** pág. 25 Willy B. Thomas/Istockphoto; pág. 26 Francis87/
Wikimedia Commons, Unam MrTheklan/Flickr; pág. 28 Philcold/Dreamstime,
Warrengoldswain/Dreamstime; **Unidad 4** pág. 33 Kota; pág. 34 Mishkabear/
Flickr; pág. 40 Difusión, García Ortega, Difusión, Difusión; **Unidad 5** pág. 41
lisegagne/Istockphoto; pág. 42 ManuelFloresV_flickr, Sven Rohloff/Stockxchng,
melissahoneybee/Flickr, ErichFerdinand_flickr; pág. 45 Difusión, García Ortega,
Difusión, Difusión; pág. 47 Elisabeth Tayefeh; **Unidad 6** pág. 49 Digiatlas, Rafael
AngelIrusta Machin/Dreamstime; pág. 52 Difusión; **Unidad 7** pág. 57 Lise Gagne/
Istockphoto; pág. 58 Photooiasson/Dreamstime, Difusión, Miguel A. Monjas/
Wikimedia Commons; pág. 59 Robwilson39/Dreamstime; pág. 61 Julio Echandia/
Istockphoto, excape25/Istockphoto, Efesan/Istockphoto, Ruth Black/Istockphoto;
pág. 62 Gonzalo Rivero/Flickr, Nilsrinaldi/Flickr, Mariia Gerasymenko/Dreamstime,
Gato Azul/Flickr, Jose Guadalupe Posada; **Unidad 8** pág. 65 Pere Cobacho; pág.
68 Constantin/Cinetext GmbH, García Ortega; Miguel Cabrera; **Unidad 9** pág. 73
Ullstein Bild; pág. 77 García Ortega; **Unidad 10** pág. 83 Margouillat/Dreamstime,
Grafissimo/Istockphoto; pág. 87 Miguel A. Monjas/Wikimedia Commons; pág. 88
quavondo/Istockphoto, digitalskillet/Istockphoto, Anna Bryukhanova/Istockphoto;
pág. 89 BoyanDimitrov/Dreamstime; **Unidad 11** pág. 93 Nito100/Dreamstime;
pág. 95 AndresRodriguez/Dreamstime; pág. 96 RobVanEsch/Dreamstime; pág.
98 Difusión; **Unidad 12** pág. 103 Nick Stubbs/Dreamstime; **Unidad 13** pág. 113
Marcelo Bernadelli/Klett Archiv, Jlastras/Flickr; pág. 118 Anne Kitzman/Fotolia;
Unidad 14 pág. 123 Okea/Dreamstime; pág. 124 Piccaya/Dreamstime; pág. 126
Ullstein Bild; **Unidad 15** pág. 133 Gerard Roche; pág. 136 Dariusz Kopestynski/
Dreamstime.

Todas las fotografías de www.flickr.com y Wikimedia Commons están sujetas a
licencias de Creative Commons (reconocimientos 2.0, 3.0, 2.5 y 3.0).

Vía rápida está basado en el manual **Con dinámica**.
© de la versión original (Con dinámica): Ernst Klett Sprachen GmbH, Stuttgart
2009. Todos los derechos reservados.
© de la presente edición: Difusión, S.L., Barcelona 2011

ISBN: 978-84-8443-656-0
Depósito legal: B 25932-2012
Impreso en España por Gomez Aparicio

Reimpresión: febrero 2017

difusión
Centro de
Investigación y
Publicaciones
de Idiomas, S.L.

C/ Trafalgar, 10, entlo. 1ª
08010 Barcelona
Tel. (+34) 93 268 03 00
Fax (+34) 93 310 33 40
editorial@difusion.com

www.difusion.com

Vía rápida

Curso intensivo de español

Cuaderno de ejercicios

María Cecilia Ainciburu
Elisabeth Tayefeh
Graciela Vázquez

Novela
Lourdes Miquel

1. El primer día de clase

Más práctica
- Relacionar sustantivos con adjetivos en todas las combinaciones posibles.
- Clasificar palabras según su género, su número y su categoría gramatical.
- Completar frases con artículos definidos o indefinidos.
- Completar textos con verbos conjugados en presente.
- Formar el singular acabado en consonante de sustantivos en plural.

- Completar diálogos usando formas conjugadas de los verbos **llamarse** y **ser** y partículas interrogativas.
- Usar la gramática estudiada para desarrollar textos sobre lugares.
- Relacionar preguntas con respuestas en una conversación sencilla.
- Escribir saludos y despedidas básicas.
- Expresión escrita y oral para hacer una presentación personal.
- Relacionar diálogos en una conversación.

Más textos
- Comprensión auditiva de una presentación personal en forma de diálogo.
- Comprensión lectora de un correo electrónico.
- Expresión escrita en presente a partir de un texto dado.
- Presentación de un centro de estudios.

Más palabras
- Vocabulario sobre el tiempo libre y el ocio.

2. Mi ciudad ideal

Más práctica
- Completar textos breves con verbos irregulares en presente y escribir planes de futuro.
- Uso de preposiciones en textos breves.
- Escribir textos breves sobre aficiones.
- Uso de **también** y **tampoco**.
- Completar textos con posesivos y demostrativos.
- Trabajar con conectores y desarrollar una ficha sobre un país.
- Vocabulario sobre lugares.
- Completar diálogos con **ser**, **estar** y **hay**.

- Reflexionar sobre la función de los conectores del discurso.

Más textos
- Comprensión lectora sobre una ciudad española.
- Completar un texto a partir de un artículo sobre los programas de intercambio.
- Comprensión auditiva de una entrevista.
- Trabajo de reflexión sobre los tópicos culturales.
- Comprensión lectora y expresión escrita en un foro sobre ciudades.

Más palabras
- Vocabulario para expresar opiniones sobre ciudades del mundo hispano.

3. Aprender una lengua es...

Más práctica
- Completar textos sobre el aprendizaje usando formas del Gerundio.
- Comparaciones entre diferentes centros universitarios. Vocabulario y estructuras.
- Uso de tener que para expresar consejos.
- Diferencia entre las partículas **qué** y **cuáles** y uso de superlativos.
- Completar oraciones con partículas que expresan frecuencia.
- Trabajo con comparación de cantidades.
- Uso de las partículas **qué** y **cuáles** y

expresión escrita sobre los hábitos lingüísticos.

Más textos
- Vocabulario sobre Europa y escribir un texto exponiendo un plan de viaje.
- Trabajo de reflexión sobre la desaparición de las lenguas. Expresión escrita y comprensión lectora.
- Escribir un artículo en torno a las propuestas posibles para proteger una lengua.

Más palabras
- Comprensión auditiva de estudiantes

de español con diferentes perfiles. Trabajo con el vocabulario aparecido en la audición y expresión escrita con las estructuras y las palabras vistas

4. Mi primer día

Más práctica
- Unir pares de frases con el conector más adecuado.
- Trabajo con conectores en comprensión lectora.
- Completar diálogos con preposiciones.
- Verbos y preposiciones. Conjugación y completar textos.
- Uso del pronombre de Objeto Directo y Objeto Indirecto.
- Completar diálogos trabajando con los pronombres.
- Comprensión de un texto y completarlo

con cuantificadores para adjetivos y sustantivos.
- Conectores del discurso.
- Pronombres, completar textos.

Más textos
- Cohesión de un texto con pronombres de Objeto Directo e Indirecto, expresión escrita.
- Comprensión oral y auditiva de descripciones de lugares. Trabajo de vocabulario específico para desarrollar una expresión escrita.
- Expresión oral para dar indicaciones

espaciales utilizando vocabulario específico y partículas para dar indicaciones.

Más palabras
- Vocabulario sobre indicaciones generales.
- Vocabulario sobre medios de transporte y destreza escrita.

5. Se vende piso

Más práctica
- Uso del Imperativo y del Condicional para dar consejo o sugerencia.
- Comprensión lectora de anuncios de pisos y expresión oral exponiendo la elección realizada.
- Combinar vocabulario de tareas del hogar y expresión escrita.
- Completar texto con imperativos.
- Seleccionar adverbios y expresiones de orden para completar unos diálogos.
- Redacción de un texto expositivo a partir de una rutina.

- Completar un texto en pasado utilizando el Pretérito Perfecto.
- Composición de mandatos a partir de Imperativo y pronombres de Objeto Directo e Indirecto.
- Comprensión lectora de anuncios de periódico.
- Expresión escrita. Escribir un breve anuncio.

Más textos
- Comprensión auditiva a partir de llamadas telefónicas.
- Comprensión lectora de un texto escrito

en Pretérito Perfecto.
- Lectura de un texto expositivo y trabajo de reflexión y vocabulario a partir del mismo.
- Comprensión auditiva de una conversación y expresión oral con la opinión del estudiante.

Más palabras
- Expresión oral o escrita a partir de cláusulas temporales y conectores del discurso.
- Vocabulario de mobiliario.

6. Cuando estuve en Buenos Aires

- **Más práctica**
- Usos del subjuntivo y el imperativo para dar consejos positivos o negativos
- Mandatos negativos. Trabajo con el Subjuntivo y los pronombres de Objeto Directo e Indirecto.
- Reflexión en torno al Pretérito Indefinido. Formas regulares e irregulares.
- Marcadores temporales para el Pretérito Perfecto e Indefinido.
- Expresión escrita usando contraste de pasados.

- Usos de **ser** y **estar** en Pretérito Indefinido.
- Transformación de frases con **se** impersonal.
- Trabajo de **se** impersonal.
- Adjetivos con **ser** y adjetivos con **estar**.

Más textos
- Comprensión auditiva sobre experiencias en el pasado.
- Interpretación y explicación de gráficos.

Más palabras
- Familias de palabras. Agrupar y reflexionar.

- Completar mapa de palabras a partir del mismo campo semántico.

7. ¡A la mesa!

Más práctica
- Completar textos utilizando el Gerundio
- Comprensión lectora de un texto en pasado y conjugación de pretéritos en contraste.
- Explotación de las formas en Pretérito Imperfecto.
- Trabajo de perífrasis verbal con Gerundio.
- Expresión escrita de deseos.
- Partículas para dar consejos. Expresión escrita.

Más textos
- Comprensión lectora de un texto sobre costumbres y tradiciones del mundo hispano. Expresión escrita a partir del mismo.
- Comprensión auditiva de testimonios sobre los hábitos en la comida.

Más palabras
- Revisión y trabajo con vocabulario sobre la comida. Expresión escrita, dar instrucciones para cocinar.
- Creación de palabras derivadas.

8. Aquel día...

Más práctica
- Trabajo de contraste entre Pretérito Indefinido y Pretérito Imperfecto en varios textos diferentes.
- Expresión escrita u oral sobre momentos memorables. Trabajo secuenciado.
- Completar un texto pautado con formas de pasado.
- El Pretérito Indefinido y el Pretérito Imperfecto en un diálogo.
- Comprensión lectora del Presente Histórico y trabajo del pasado.

- Uso de los marcadores de pasado en un texto escrito.
- Reflexión y trabajo de los diferentes usos de **por** y **para**.

Más textos
- Preposiciones en un texto en pasado.
- Usos del **estar** + gerundio en un texto en pasado.
- Comprensión auditiva de un testimonio en pretérito.

Más palabras
- Vocabulario para la descripción física y para la valoración de obras.

9. Haciendo memoria

 B1

Más práctica
- Usos de Indicativo y Subjuntivo. Contraste.
- Completar una conversación telefónica con formas en Indicativo o Subjuntivo.
- Selección del modo verbal adecuado en frases cortas.
- El uso del Subjuntivo aplicado a los consejos.
- Expresión del pasado en las formas de Pretérito Pluscuamperfecto.
- Contraste de formas de pasado en un texto literario.

- Reflexión de los tiempos con la partícula **cuando** y sus diferentes matices.
- Completar un texto con formas de Pretérito Imperfecto, Pluscuamperfecto o Perfecto.

Más textos
- Comprensión lectora y expresión de opiniones al respecto de lo leído.
- Comprensión auditiva y producción escrita valorando lo escuchado, y si es o no es verdadero.

Más palabras
- Derivación con sufijo **-era/-ero**.

- Expresión escrita a partir del vocabulario trabajado.

Novela
Capítulo 1. **Olvidar, irse**

10. La felicidad

 B1

Más práctica
- Completar textos con los conectores **para / para que**.
- Uso de conectores temporales para desarrollar un texto coherente y cohesionado.
- Maneras de excursarse, expresión escrita.
- Conectores del discurso, reflexión en torno a los mismos.
- Expresión escrita en torno a un tema propuesto en una comprensión lectora.
- Expresiones de reacciones con respecto

a frases a completar por parte del alumno.
- Comprensión lectora de temas de actualidad.
- Completar un texto con formas de Pretérito Imperfecto o Subjuntivo.

Más textos
- Comprensión auditiva y posterior explotación del vocabulario dado.
- Comprensión lectora y expresión escrita dando consejos a partir del problema dado.

Más palabras
- Expresiones sobre estados de ánimo. y expresión escrita con lo trabajado en la unidad.

Novela
Capítulo 2. **Embarcarse, volar**

11. Piensa globalmente, actúa localmente

 B1

Más práctica
- Predicciones de futuro utilizando el Futuro.
- Usos del Imperativo para dar consejos y condiciones.
- Usos del Condicional y el Imperativo para formular mandatos.
- Expresión escrita utilizando el Condicional para dar consejos y advertencias.
- Completar un texto con futuro para expresar hipótesis.
- Expresión escrita en torno a la vida

en la infancia, reflexión sobre los usos del pasado y partículas de duración de tiempo.
- Instrucciones para escribir una solicitud para participar en un proyecto.

Más textos
- Comprensión lectora de un texto sobre la corrida ecológica.
- Comprensión auditiva de las razones expuestas contra una iniciativa empresarial en Argentina.

Más palabras
- Vocabulario sobre los problemas del

medio ambiente, la naturaleza y las predicciones de futuro para el planeta. Expresión escrita trabajando dicho vocabulario.

Novela
Capítulo 3. **Entrevistarse, dejarse llevar**

12. ¿A qué dedicas el tiempo libre?

 B1

Más practica
- Completar frases contrastando el uso de diferentes perífrasis presentadas.
- Uso de las estructuras trabajadas en la unidad para completar diferentes frases y reflexionar al respecto.
- Completar el texto con diferentes perífrasis.
- Trabajo con el estilo indirecto en una comprensión oral y posterior expresión escrita.
- Reflexión en torno al estilo indirecto y más trabajo de forma.

Más textos
- Comprensión auditiva y explicación oralmente de las opiniones ante lo escuchado.
- Expresión escrita tras comprensión lectora de un texto literario.
- Comprensión lectora de un texto literario y trabajo de vocabulario visto.

Más palabras
- Juego de expresión escrita a partir de una propuesta divertida.
- Trabajo de vocabulario. Formas sinónimas del verbo **decir**.

Novela
Capítulo 4. **Disfrutar, sorprenderse**

13. El amor es ciego

 B1+

Más práctica
- Elegir partículas relativas para completar un relato sobre la emigración. y escribir un final para el mismo.
- Completar un texto con partículas relativas.
- Construir oraciones de relativo explicativas o especificativas con la partícula **que.**
- Transformar oraciones usando las formas correctas de **quien.**
- Redactar un texto cohesionado a partir de oraciones con repeticiones.

- Distinguir verbos pronominales reflexivos de recíprocos.
- Completar un texto escogiendo el Indicativo o el Subjuntivo. Escribir un texto con consejos.

Más textos
- Leer un artículo sobre el resultado de una encuesta y deducir las preguntas de la misma.
- Responder a las preguntas de la encuesta desde la propia identidad.
- Leer una poesía y explicar algunas expresiones que contiene.

- Definir a tres personas que hablan sobre sus relaciones sentimentales. Definirse a uno mismo.
- Clasificar palabras según si pueden calificar a una persona o a una relación.

Más palabras
- Asociar expresiones con la palabra **mano** con sus definiciones. Usar estas expresiones en oraciones.

Novela
Capítulo 5. **Viajar, enamorarse**

14. Mundo sin fronteras

 B1+

Más práctica
- Transformar palabras y expresiones usando la sustantivación. Observar las terminaciones de dichos sustantivos.
- Elegir el conector adecuado en oraciones.
- Usar el **se** impersonal en oraciones del ámbito académico.
- Completar diálogos con pronombres posesivos tónicos.
- Elegir el Indicativo o el Subjuntivo para completar oraciones que hablan del presente y del futuro.

Más textos
- Leer un artículo sobre la emigración y la inmigración en España. Resumir las ideas principales del texto. Definir términos y completar oraciones que hablan del texto.
- Escribir una carta al director de un periódico opinando sobre un radiofónico.
- Leer un artículo sobre la violencia contra las mujeres en México. Hacer un trabajo previo de vocabulario. Identificar determinadas informaciones en el texto.

Más palabras
- Clasificar verbos con preposición y usarlos en un contexto adecuado. Definir términos y expresiones.

Novela
Capítulo 6. **Buscar, encontrar**

15. Revista *Campus ELE*

 B1+

Más práctica
- Completar el texto de la editorial de un nuevo periódico; decidir las secciones de este periódico y describirlas.
- Completar oraciones con **ser** o **estar.**
- Usar la estructura **estar** + Participio o **estar** + adjetivo en oraciones propias de textos formales.
- Identificar marcadores de matización. Transformar un texto para que exprese seguridad en lugar de prudencia. Escribir un texto argumentativo usando los marcadores de matización.

- Escribir un texto de contribución a un blog sobre coches eléctricos. Pensar argumentos a favor y en contra del tema.
- Escribir dos cartas al director de un periódico, una a favor y otra en contra de la tesis de un artículo leído.
- Clasificar textos según si son prudentes o categóricos. Explicar con las propias palabras algunos términos de los textos.
- Leer un discurso y hacer hipótesis sobre el contexto en el que se inscribe. Resumirlo para un periódico.

- Leer un texto sobre el clima tropical y clasificar el vocabulario conocido sobre el tiempo y el clima. Describir el tiempo que ha hecho durante un día.

Novela
Capítulo 7. **Comprender, descubrir**
Epílogo. **Volver**

Más práctica

El **Cuaderno de ejercicios de Vía rápida** ofrece un repertorio de ejercicios que se pueden realizar de forma autónoma y también en clase, pensados para ayudar a consolidar el aprendizaje iniciado en el Libro del alumno. La sección **Más práctica** incide especialmente en la **práctica formal** de las funciones y los temas gramaticales aparecidos en las unidades, un ejercicio que persigue la automatización de la lengua aprendida.

Más textos

Esta sección presenta **textos escritos y orales** para trabajar la práctica y el desarrollo de las estrategias de **comprensión lectora y auditiva**. Para ello se proponen actividades previas a la lectura, trabajos sobre el vocabulario o las estructuras especialmente relevantes para comprender los textos y preguntas o **propuestas de producción**, normalmente escrita, que ayudan a poner en juego lo que se ha comprendido en la lectura o en la audición.

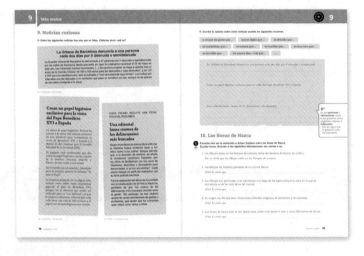

Novela

La novela en siete capítulos, es una propuesta de **lectura para los niveles B1 y B1+** repartida entre las unidades 9 y 15 del Cuaderno. Con ella se pretende animar a los estudiantes a leer un **relato extenso en español** de forma autónoma, ya que este está adaptado a su nivel y contiene notas al pie que explican las palabras difíciles o los aspectos culturales que un estudiante extranjero puede no conocer.

Más palabras

Mediante actividades variadas se pretende no solo que el estudiante **consolide y amplíe ciertos aspectos del vocabulario adquirido**, sino que se familiarice con múltiples **estrategias** que podrá usar en su futuro como aprendiz de lenguas. Definir palabras, observar fenómenos de derivación, confeccionar mapas léxicos o usar en un contexto adecuado palabras de un mismo campo semántico son algunas de las propuestas de la sección.

El primer día de clase

1. Palabras relacionadas

Lee las siguientes palabras y forma todas las combinaciones posibles entre las dos filas.

verb

sustantivos	adjetivos
música	simpáticos
persona	sociables
amigo	amable
amiga	optimista
estudiantes	serias
secretaria	moderna
universidad	antigua
ciudad	maravillosa
	pública
	trabajadores

nice.

Kind

either not.

adjectives ending in e both genders — have to don't change.

Recuerda: quizá algunas **palabras del español son parecidas a tu lengua** o a otra lengua que conoces.

2. ¿Singular o plural?

Fíjate en estas palabras y escríbelas en la tabla. ¿Sabes qué significan?

/ = plural

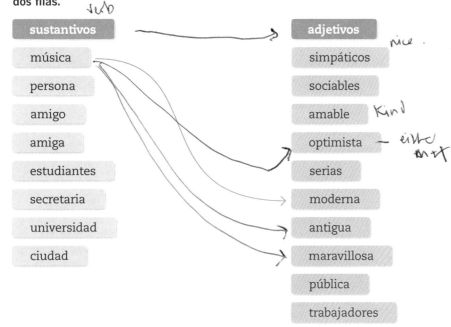

alegres   clase   simpático   importante   discoteca   pequeño   carreras   lenguas

interesante   chico   barrios   pública   privada   teléfonos   deporte   amigas

páginas   amables   prestigiosas   música   seria   grande   modernos   sociables

sustantivos			
masculino		femenino	
singular	plural	singular	plural
chico deporte	barrios teléfonos	clase discoteca música *seria*	carreas *paginas* lenguas amigas

adjetivos			
masculino		femenino	
singular	plural	singular	plural
simpático importante *grande* pequeño importante	alegres amustes modernos sociales	pública privada *grande*	alegres importanti amustes prestigious sociales.

3. ¿Artículo definido o indefinido?

Completa las frases con el artículo necesario en cada caso.

1. Esta es _la_ amiga de Iñaki, se llama Paloma. Es _una_ amiga del curso de español.
2. _La_ Universidad Nacional de Córdoba es _Una_ universidad muy antigua.
3. Paloma tiene _un_ amigo mexicano que se llama Luis. _La_ Universidad de Luis es _la_ Universidad de Guadalajara.
4. _El_ hermano pequeño de Luis vive en La Habana. La Habana es _la_ capital de Cuba.
5. Mi Universidad se llama Carlos III. Está en norte de Madrid, en _una_ campus bastante grande. Es _el_ campus de Colmenarejo.

4. Yo soy...

I can / puedo

Completa los textos con los verbos en Presente.

ser	ser	ser	tener	tener	vivir	estudiar	gustar	estar	estar	poder	poder	buscar

Hola, _yo soy_ Lorena Robles Ramírez y _tengo_ 20 años. Soy de Zacatecas pero _vivo_ con mi familia en Guadalajara. Estudio Ciencias Económicas. Mi carrera _es_ muy interesante. _Tengo_ una hermana y dos hermanos. En mi tiempo libre _estudio_ alemán. Me _gusto_ mucho leer, navegar por internet y salir con mis amigas.

Esta _es_ mi universidad. Es la Universidad Nacional de Córdoba y _está_ en Argentina. Es la más antigua (1613) y la más grande después de la UBA, la Universidad de Buenos Aires. Aquí ~~puedo~~ _puedo_ estudiar todas las carreras. Si _busco_ un curso para. aprender español _puedo_ ir a la Facultad de Lenguas que _está_ en la ciudad universitaria.

5. Plurales acabados en –es

¿Recuerdas el singular de los sustantivos terminados en consonante? ¿Sabes con qué artículo van? Completa la tabla.

plural	singular	el / la
redes	red *(red)*	las
países	país *(país)*	los / el
excursiones	excursión *(excursión)*	las // la
universidades	universidad *(universidad)*	las // la
informaciones	información *(información)*	las // la
facultades	facultad *(facultad)*	las // la
ciudades	ciudad *(cuidad)*	las // la
jueves	jueves *(jueves)*	los // el
campus	campus *(campus ?(pl?))*	los // el
naciones	nación *(nación)*	las // la

(handwritten margin note: Thursday?)

> ⚙ Aprende los nombres con el **artículo** y la forma del **plural**.

6. Presentaciones

A. Completa los diálogos con la forma correcta de los verbos llamarse y ser.

1. □ ¡Hola! ¿Cómo __estas__ ?
   ● Ana, ¿y tú?
2. □ ¿Cómo __te llama__ tu amigo?
   ● Se llama Jon. Es vasco.
3. □ Yo __soy__ Fernando. ¿Y tú?
   ● Marcela.
4. □ Usted __se llaman__ Mario González, ¿no?
   ● No, __me llamo__ Mario Domínguez.
5. □ ¡Hola! ¿tú __llamas__ Edith?
   ● No, yo __llamo__ Sofía.

B. Completa estos diálogos entre unos estudiantes de español.

1. □ ¿ ~~De dónde eres~~ ? __Donde vives__
   ● De San Petersburgo.
2. □ ¿De San Petersburgo? ¿ __Dondé__ ?
   ● En Rusia.
   □ Ah... ¿Y _____?
   ● Para viajar por Sudamérica el año que viene.
3. □ ¿_____ aficiones?
   ● Toco la guitarra y hago excursiones a la sierra. ¿_____?
   □ Yo hago deporte y estoy en un grupo de teatro.
4. □ ¿_____?
   ● Estudio Filosofía en la Universidad de Barcelona.

para qué	qué
dónde	cuál/es
de dónde	

7. Mi ciudad

A. Thomas participa en un foro de clase para hablar de la ciudad donde vive.
Coloca las palabras que faltan.

es | está | se llama | es | conciertos | está | es | Inglaterra | está | norte | museos

estás
localits

ser-
describi

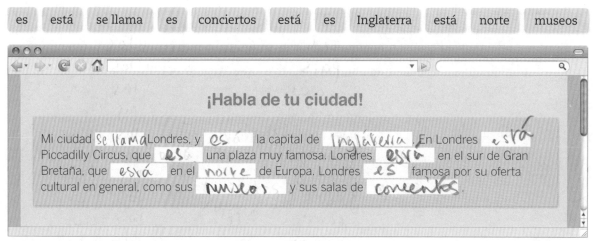

¡Habla de tu ciudad!

Mi ciudad *se llama* Londres, y *es* la capital de *Inglaterra*. En Londres *está* Piccadilly Circus, que *es* una plaza muy famosa. Londres *está* en el sur de Gran Bretaña, que *está* en el *norte* de Europa. Londres *es* famosa por su oferta cultural en general, como sus *museos* y sus salas de *conciertos*.

B. Ahora, escribe un texto similar hablando de tu ciudad.

8. Preguntas y respuestas

Relaciona los elementos de las dos columnas. Puede haber varias posibilidades.

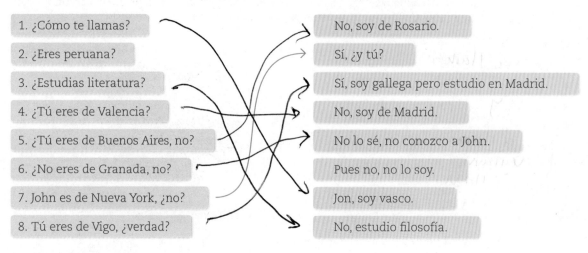

1. ¿Cómo te llamas?
2. ¿Eres peruana?
3. ¿Estudias literatura?
4. ¿Tú eres de Valencia?
5. ¿Tú eres de Buenos Aires, no?
6. ¿No eres de Granada, no?
7. John es de Nueva York, ¿no?
8. Tú eres de Vigo, ¿verdad?

No, soy de Rosario.
Sí, ¿y tú?
Sí, soy gallega pero estudio en Madrid.
No, soy de Madrid.
No lo sé, no conozco a John.
Pues no, no lo soy.
Jon, soy vasco.
No, estudio filosofía.

9. Saludos y despedidas

Completa estos diálogos. ¿Cuáles son para saludar? ¿Y para despedirse?

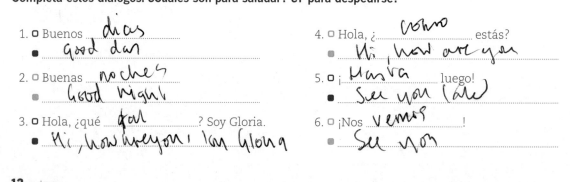

1. ☐ Buenos *días*
   ● *Good day*

2. ☐ Buenas *noches*
   ● *Good night*

3. ☐ Hola, ¿qué *tal*? Soy Gloria.
   ● *Hi, how are you! I am Gloria*

4. ☐ Hola, ¿*cómo* estás?
   ● *Hi, how are you*

5. ☐ ¡*Hasta* luego!
   ● *See you late*

6. ☐ ¡Nos *vemos*!
   ● *See you*

10. Preséntate

A. Rellena estas fichas con información sobre ti.

Información personal
(nombre, edad, nacionalidad...)

Me llamo...

Chussy, soy
inglesa.

Para qué estudias español

Estudio español para...

mi trabajo y
para viajar

Aficiones

En mi tiempo libre...

me gusta ir
a bares, ir
y camina con
amigos.

B. Preséntate oralmente con la ayuda de las fichas. Grábate y observa qué puedes mejorar.

11. Álex y Matías se conocen

Alex, un chico francés, y Matías, un chico español, se conocen en su primer intercambio. Esta es su conversación. Ordénala. Puede haber más de una opción correcta.

11 Conozco Barcelona y Granada, sobre todo.

5 Bien, gracias.   **1** ¡Hola! ¿Eres Matías?

9 Me gusta su clima, su cultura, sus paisajes, su gastronomía, su gente...

15 Y tú, ¿por qué aprendes francés?   **3** Sí.

7 Para vivir en España. Me gusta mucho España.

13 ¿Y te gusta Francia?

2 Si. Y tú eres Álex, ¿no?

6 ¡Muy bien! ¿Tú para qué quieres aprender español?

8 ¿Ah sí? ¿Por qué?

10 ¿Y qué ciudades conoces?

14 Sí, ¡mucho!

12 Ajá. Yo no conozco Granada.

4 ¿Qué tal?

16 Yo quiero aprender francés porque trabajo en una empresa francesa.

12. Datos personales

CD1
8

A. Escucha esta conversación ¿Cómo piden a Heike la siguiente información?

one accent in a word *homework*

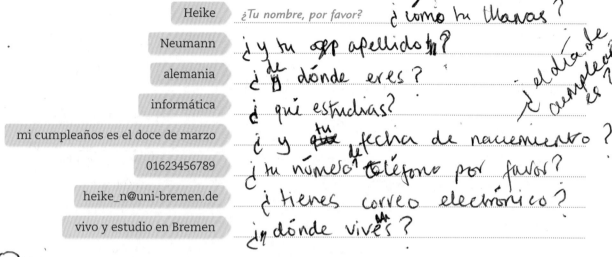

Heike	*¿Tu nombre, por favor?*	¿cómo tu llamas?
Neumann		¿y tu app apellido?
alemania		¿de y dónde eres?
informática		¿qué estudias?
mi cumpleaños es el doce de marzo		¿y tu fecha de nacimiento? — el día de cumpleaños es?
01623456789		¿tu número de teléfono por favor?
heike_n@uni-bremen.de		¿tienes correo electrónico?
vivo y estudio en Bremen		¿y dónde vives?

B. ¿Conoces más preguntas de información personal? Escríbelas.

13. Asunto: ...

Lee los siguientes correos electrónicos y escribe un texto en el campo **asunto**.

contigo with you

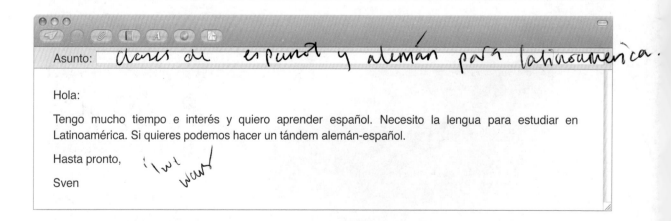

Voy a tu ciudad

Hola Iñaki:

Necesito el correo electrónico de la Escuela Internacional de Diseño de tu ciudad. Mary quiere estudiar allí.
Y tú, ¿cómo estás? … Bueno, gracias, pronto chateamos.

Chau,

Patricia

Asunto: clases de español y alemán para latinoamérica.

Hola:

Tengo mucho tiempo e interés y quiero aprender español. Necesito la lengua para estudiar en Latinoamérica. Si quieres podemos hacer un tándem alemán-español.

Hasta pronto, *I want*

Sven

14. Taller de escritura

Completa el siguiente texto y escribe un posible final.

neighborhood

Trabajo (*trabajar / yo*) en ~~une~~ barrio muy tranquilo de ~~centro~~ la ciudad. Cada día, cuando voy a trabajar, saludo (*saludar / yo*) a mis compañeros de trabajo: ¡ Hola !

Ellos p responden (*responder / ellos*): ¡ Hola !

En mi trabajo hay ~~esta~~ un compañero que nunca me saluda (*saludar / él*). Él se llama ~~llamas~~ (*llamarse / él*) Pablo y el es (*ser / él*) un chico bastante tímido. Los otros compañeros son (*ser / ellos*) muy divertidos, pero Pablo (*ser / él*) es muy aburrido. Creo (*creer / yo*) que no el es (*ser / él*) feliz con ese trabajo.

Pablo es no feliz porque no tiene una familia, porque ~~vosotros~~ ellos ~~van~~ ~~vuelto~~ fueron a otra país.

15. Yo estudio en...

Presenta tu universidad o el centro en el que estudias. Completa la ficha con los datos y escribe todo lo que puedes decir sobre este lugar.

Nombre: Chusay Castle
Ciudad: ~~Londres~~ Sheffield
Facultades importantes: Biology

Campus (nombres): Enddiffe
Año de fundación: 1905
Pública o privada: Pública

16. Actividades

A. Relaciona la columna de la izquierda con la de la derecha. Puede haber más de una opción correcta.

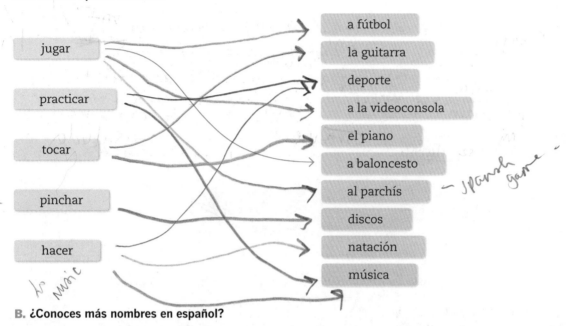

(columna izquierda) jugar · practicar · tocar · pinchar · hacer

(columna derecha) a fútbol · la guitarra · deporte · a la videoconsola · el piano · a baloncesto · al parchís · discos · natación · música

(anotaciones manuscritas) dijus · — spanish game · la music

B. ¿Conoces más nombres en español?

deportes	instrumentos	juegos
baloncesto	piano	parchís
fútbol, natación	guitarra	videoconsola, rayuela ↳ hopscotch

(anotación manuscrita) El duerme en la cam...

C. ¿Qué hacen estas personas? Hay muchas opciones correctas.

Ella come comida

Ellos estan jugando con juguetas · *comiendo comida* · *durmiendo en la cama*

hablar por teléfono · *caminar el perro / pasear al perro* · *escribiendo horas* · *Ella escribe htr...*

Mi ciudad ideal

A1

1. Yo y mi mundo

A. Estos verbos son irregulares en Presente de Indicativo. Escribe en la tabla una forma irregular del Presente de Indicativo.

decir   dormir   poder   querer   entender   elegir   tener   repetir   pedir   pensar

e > ie	o > ue	e > i
perder > pierdo		

Handwritten answers:

e > ie:
pensar - pienso
querer - quiero
entender - entiendo

o > ue:
poder - puedo
dormir - duermo
tener - tienes

e > i:
decir - digo.
elegir - elijo
tener - tengo
pedir - pido
repetir - repito.

B. Encuentra en la tabla los cambios en las consonantes y márcalos.

C. Completa estas frases con la forma correcta de los verbos del apartado A.

1. En uno de los anuncios "Busco tándem" hay una chica argentina que *quiere* (querer) aprender sueco. También *dice* (decir) que *puede* (poder) dar clases de tango. ¿Te interesa?

2. Somos un grupo de chicas francesas. El semestre que viene nos gustaría estudiar en una ciudad latinoamericana. *Preferimos* (preferir) una ciudad mediana, con playa, por ejemplo Mar del Plata. Si *tiene* (tener) mucha vida cultural, mejor.

3. Jan y su amiga Chiara *piensan* (pensar) pasar un semestre en Bilbao. *piden* (pedir) información en la Oficina Erasmus de su universidad. Allí una persona les *dice* (decir) que este semestre no hay becas pero, si *quieren* (querer), *pueden* (poder) hacer primero un curso de euskera en Pamplona.

4. Si *quieres* (querer / tú) participar en un grupo de teatro, *puedes* (poder) preguntar en la Facultad de Letras o mirar la página web. Allí *dice* (decir) cuándo son las clases.

5. Mi profesora de español *elige* (elegir) ejercicios interesantes para practicar el vocabulario y nos pregunta si *entendemos* (entender) las reglas gramaticales. Ella _____ (repetir) y *repite* (repetir) las explicaciones. Le *pido* (pedir / yo) ejercicios cuando *quiero* (querer) practicar más.

D. Cuenta lo que vas a hacer el año que viene. Puedes usar estas palabras.

| quiero | pienso | voy a |

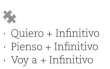

· Quiero + Infinitivo
· Pienso + Infinitivo
· Voy a + Infinitivo

> El año que viene, quiero tene una promoción en
> el trabajo y ir a Perú y PNG con mi colegas.
> Pienso que pasaré mas tiempo con más mi familia
> y con mis amigos. Voy a tene un buen año.

2. Gustos y aficiones

Imagina lo que contestan estas personas y completa los diálogos con los pronombres adecuados.

1. ☐ ¿A ti **te** gusta hacer deporte?
   ● A **mí** no.

2. ☐ ¿A ustedes **les** interesan los museos?
   ● ¡Sí, **nos** encantan!

3. ☐ ¿A ti y a tu amiga **les** gustan los restaurantes argentinos?
   ● ¡Claro!

4. ☐ ¿A tu profesora **le** gusta explicar gramática?
   ● No sé.

5. ☐ ¿A vosotras **os** gusta el teatro?
   ● Bastante.

6. ☐ ¿A tu pareja **le** interesa la política?
   ● Sí, sí.

7. ☐ ¿A Javier **le** gusta vivir en la ciudad?
   ● No mucho.

8. ☐ A **mí** no **me** gusta estudiar gramática, ¿y a ti?
   ● A **mí** sí.

3. Algo en común

A. Escribe frases para explicar los gustos y aficiones que compartes y que no compartes con otras personas.

| escuchar música | escribir un diario | hacer deporte | la comida italiana | dormir en el sofá |

| chatear | mirar la televisión | leer el periódico | la naturaleza | ir a la montaña | bailar salsa |

| vivir en la ciudad | escribir en un blog | ir al fútbol | hablar de política | las galerías de arte |

· gustar + Infinitivo / sustantivo
· encantar + Infinitivo / sustantivo
· interesar + Infinitivo / sustantivo

> *A mí me gusta escuchar música y a él mirar televisión.*
> *A los dos nos encanta bailar salsa.*

> A mi me gusta hablar de política pero
> a el le gusta leer el periodico.

> A nos otros nos encanta

B. ¿Cuáles son tus preferencias? ¿Y las de tus familiares? Relaciona las columnas y explícalo como en el ejemplo.

a mí	leer
a mi padre	aprender idiomas
a mi madre	viajar
a nuestros vecinos	el cine
a mi mejor amigo	el fútbol
a mis amigos y a mí	la vida nocturna

⚠️
· A mí me gustan las mañanas.
(OI + verbo + sujeto)
· Yo me levanto a las 6.
(sujeto + verbo + complemento)

✶
· Parecer + valoración (divertido, aburrido, interesante, apasionante…) + Infinitivo /sustantivo

A mi padre no le gusta el fútbol, pero le encanta leer.

A mí me gusta viajar por el mundo, me parece interesante.

A mi padre le gusta el cine, le parece divertido.

A nuestros vecinos les gusta la vida nocturnal. les parece divertido.

A nuestrosvecinos les parece divertido el cine.

4. ¿Tú también estudias español?

Completa los siguientes diálogos.

1. ◻ Yo no hablo polaco y tampoco ruso.
   ◼ Yo _tampoco_ .

2. ◻ Yo soy argentina.
   ◼ ¿Y Alejandra?
   ◻ _también_ .

3. ◻ ¿Vives en Japón?
   ◼ No.
   ◻ Yo _tampoco_ .

4. ◻ Ángeles vive sola.
   ◼ Pablo _tambien_ .

5. ◻ Jordi es de Barcelona.
   ◼ Su amiga _tambie_ .

6. ◻ ¿Vamos al cine?
   ◼ Hoy no puedo.
   ◻ ¿Y mañana?
   ◼ Mañana _tampoco_ puedo.

5. ¿De quién es?

A. Completa con la forma del posesivo correspondiente según la situación.

1. **Todos estos objetos son de Ana:** Este es _su_ móvil, estas son _sus_ gafas, esta es _su_ tarjeta de crédito y estas son _sus_ llaves.

2. **En mi mochila tengo una agenda, una billetera, las llaves y el móvil:** Es _mi_ agenda, es _mi_ billetera, son _mis_ llaves, es _mi_ móvil.

3. **Mi amigo y yo tenemos dos tarjetas de crédito, dos móviles y dos llaves:** Son _nuestras_ tarjetas, _nuestros_ móviles y _nuestros_ llaves.

4. **Alguien os pregunta a vosotros:** ¿De quién son estas cosas que están aquí? ¿Este es _vuestro_ portátil? ¿Esta es _vuestra_ agenda? ¿Este es _vuestra_ libro de español?

B. Fíjate en las palabras marcadas y completa con los demostrativos adecuados.

1. ◻ ¿Este es tu móvil?
   ◼ No. Mi móvil es _ese_ que está <u>ahí</u>.

2. ◻ ¿Esta es tu mochila?
   ◼ Sí, es _este_ de <u>aquí</u>.

3. ◻ ¿Estas son tus gafas?
   ◼ No, son _esas_ de <u>ahí</u>.

4. ◻ ¿Este es tu portátil? _ese_
   ◼ No, es _aquel_ que ves <u>allí</u>.

5. ◻ ¿Estas son tus tarjetas de crédito?
   ◼ Sí, son _estas_ que tengo <u>aquí</u>.

6. ◻ ¿Esta es tu agenda?
   ◼ No, es _esa_ de <u>ahí</u>.

6. El mundo en español

A. Completa el siguiente texto con los conectores.

también	tampoco	pero	sino

En Guatemala, Perú, Bolivia y Paraguay no solo se habla castellano, _también_ lenguas indígenas. En Bolivia, por ejemplo, se habla aimara y quechua, y _también_ se habla castellano. Todas ellas son lenguas oficiales. En México existen muchas lenguas indígenas, _pero_ no todas son oficiales. Yo tengo un amigo que habla castellano, alemán y _también_ guaraní. Por cierto, hay otro país en el que _también_ se habla español _pero_ que no está en América ni en Europa, _sino_ en África. ¿Sabes qué país es?

B. ¿Puedes contestar a la pregunta que nos hace el texto? Si no sabes de qué país se trata, búscalo en internet. Luego, completa esta ficha.

⚙° Busca solo la **información que te interesa**, no debes entender todo lo que encuentras sobre el tema.

Nombre: Malawi
Lenguas oficiales: Ingles y Chichewa.
Capital: Lilongwe
Clima: Clima Tropical.

7. La ciudad de Laura

A. Laura nos describe su ciudad. Completa su texto.

gimnasio	parque	comercios	museos	restaurantes

discotecas	facultad	cines	galerías de arte

Vivo en un barrio de Buenos Aires. Se llama Caballito. Es tranquilo y hay muchos _comercios_. Hay muchos _restaurantes_ donde se puede comer bien y los precios no son muy altos. La oferta cultural es bastante buena porque tenemos varias _galerías de arte_ y cinco _museos_. Teatros no hay. Si quieres practicar deportes puedes ir a un _gimnasio_ que está en la calle Rivadavia y se llama "Club Italiano" _cines_ también hay muchos, especialmente cerca de la _facultad_ de Filosofía y Letras de la UBA, que está en la calle Puán. Yo vivo cerca de un _parque_, es la Plaza Irlanda. No sé si hay _discotecas_: a mí no me gusta ir a bailar.

B. Señala los verbos **ser**, **estar** y **hay** en el texto y observa.

8. Hablar de los lugares

Completa las frases con la forma adecuada de los verbos ser, estar o hay.

1. ◻ ¿ _Hay_ una biblioteca cerca?
   ● Sí, _hay_ una en la Facultad de Ingeniería.

2. ◻ Tobías _es_ chileno, de Santiago, pero estudia en una universidad que _está_ en el norte de Chile.
   ● ¿Sabes cómo se llama?
   ◻ No sé, pero _es_ una universidad grande.

3. ◻ ¿Qué buscas?
   ● El móvil. ¿Sabes dónde _está_ ?
   ◻ En el coche _hay_ uno.
   ● Ese móvil _es_ de Maite.

4. ◻ Disculpe, ¿ _Hay_ un supermercado en esta calle?
   ● Sí, pero _está_ un poco lejos.

5. ◻ Mira, aquí tienes unos anuncios, _hay_ muchas personas que quieren un tándem.
   ● ¡ _Es_ verdad! " _Somos_ dos estudiantes ingleses y buscamos un tándem para clases de español."

6. ◻ Federico dice: " _Soy_ italiano y _estoy_ en Granada con un _son_ intercambio. Me gusta mucho la universidad: los cursos _están_ muy interesantes. En una de mis clases _hay_ una chica finlandesa muy simpática. Se llama Hannele, _es_ de Jyväskylä".

9. Conectores

Completa el texto utilizando estas palabras.

| pero | además | porque | también | tampoco | solo | sino |

1. Los italianos de mi clase adoran el español, no ...._solo_.... están de moda la música y los bailes latinoamericanos ...._sino_.... porque creen que cuando escuchan español entienden casi todo.

2. Yo a veces hablo con errores, ..._pero_.... soy muy abierto y no me cuesta nada practicar con los extranjeros.

3. A mi compañera de piso le encantan las clases donde tiene que hacer algo: por ejemplo, escribir un diario o hacer una exposición oral. ...._también_.... le gusta leer textos ...._pero_.... tener clases de gramática no le gusta demasiado: siempre quiere un libro específico para estudiarla en casa ...._además_.... le gusta trabajar sin diccionario.

4. En mi universidad hay muchos estudiantes de Filología Hispánica que quieren participar en programas Erasmus con universidades de España. ...._Además_.... muchos estudiantes de Economía que quieren hacer intercambios con países latinoamericanos ...._también_.... piensan que esos países son interesantes para el sector de los negocios.

10. Conocer una ciudad

A. **Aquí tienes algunas informaciones sobre una ciudad famosa de España. ¿Sabes qué ciudad es?**

.... es una ciudad que está en el sur de España. Es una ciudad pequeña, y es famosa porque es una ciudad universitaria. En .... hay muchos bares de tapas y mucho movimiento cultural. .... está en las montañas y tiene lugares muy especiales, como el barrio del Albaicín o la Alhambra, que es uno de los lugares más turísticos de España.

Granada?

B. **¿Puedes escribir algún texto similar sobre otra ciudad del mundo hispano?**

11. Erasmus

A. **Lee este texto sobre un programa de movilidad de estudiantes.**

ESTUDIANTES
Programas de intercambio de la UE

La Unión Europea tiene diferentes programas de intercambio para estudiantes. Erasmus es el programa más famoso de movilidad estudiantil.

Más de 150000 jóvenes de Europa van todos los años con este programa a estudiar a otra universidad europea entre tres meses y un año. Pero la Comisión Europea ofrece más posibilidades de formación para estudiantes, profesionales y docentes.

El nuevo programa de estudios y formación, el Programa de Aprendizaje Permanente, mejora las posibilidades de formación en todas las etapas de la vida: la educación secundaria, la universidad, la formación profesional y la educación superior.

Erasmus Mundus es un programa para cursos internacionales de máster y postgrado. En él participan no sólo universidades europeas sino de todos los continentes. Los cursos pueden ser de uno o dos años. En la página web hay una lista completa de los programas. También se puede ver qué universidades los organizan.

Erasmus Mundus quiere mejorar la cooperación entre las universidades y también la formación del personal docente.

El nuevo programa empieza en 2007 y termina en 2013. Se financia con 7000 millones de euros.

B. **Si has comprendido el texto, ahora puedes completar este resumen.**

El programa de intercambio más famoso de la Unión Europea se llama ...*Erasmus*... . Los jóvenes que se van a otra universidad están allí entre tres y ...*doce*... meses. Ahora hay un ...*nuevo*... programa que es para personas en ...*formación*...; es el ...*P.A.P (n)*... Otro programa es ...*erasmus mundo*... En él no solo hay cursos internacionales de máster y postgrado. También mejora la ...*cooperación*... entre las universidades. Es un programa para un período de ...*dos*... años.

12. Salamanca

🄯 CD1 16 **Escucha esta entrevista a Nuria Sanchís, responsable de la oficina de turismo de Salamanca, y toma notas. Luego, escribe un resumen.**

es
tiene
es famosa por

Salamanca es una ciudad atractiva para un estudiante Erasmus. Tiene...

200 mil habitantes y dos universidades, y muchas estudiantes extranjeros.
Es famosa por cultura y la plaza mayor, catedral y universidad.

13. El típico...

A. ¿Eres alguien típico de tu país? Juan Manuel nos explica en su blog los tópicos
que se conocen sobre su país, España, y en qué cosas él es típico y en qué cosas no.

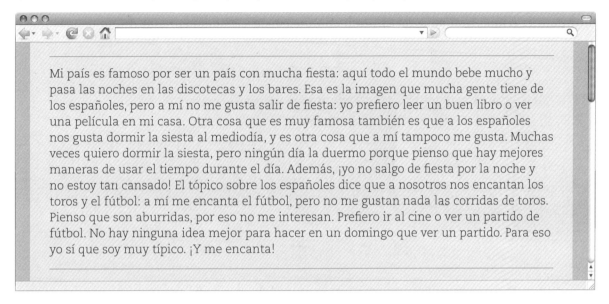

Mi país es famoso por ser un país con mucha fiesta: aquí todo el mundo bebe mucho y
pasa las noches en las discotecas y los bares. Esa es la imagen que mucha gente tiene de
los españoles, pero a mí no me gusta salir de fiesta: yo prefiero leer un buen libro o ver
una película en mi casa. Otra cosa que es muy famosa también es que a los españoles
nos gusta dormir la siesta al mediodía, y es otra cosa que a mí tampoco me gusta. Muchas
veces quiero dormir la siesta, pero ningún día la duermo porque pienso que hay mejores
maneras de usar el tiempo durante el día. Además, ¡yo no salgo de fiesta por la noche y
no estoy tan cansado! El tópico sobre los españoles dice que a nosotros nos encantan los
toros y el fútbol: a mí me encanta el fútbol, pero no me gustan nada las corridas de toros.
Pienso que son aburridas, por eso no me interesan. Prefiero ir al cine o ver un partido de
fútbol. No hay ninguna idea mejor para hacer en un domingo que ver un partido. Para eso
yo sí que soy muy típico. ¡Y me encanta!

B. ¿Cuáles son los tópicos de tu país? Haz una lista.

C. ¿En qué cosas eres alguien típico de tu país? Escribe un texto como el de Juan Manuel.

14. ¿Qué es para ti la ciudad ideal?

A. Lee este foro sobre la ciudad ideal y marca las características que se
repiten en las respuestas.

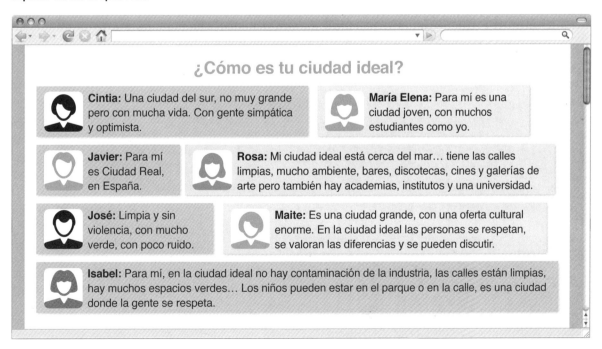

¿Cómo es tu ciudad ideal?

Cintia: Una ciudad del sur, no muy grande pero con mucha vida. Con gente simpática y optimista.

María Elena: Para mí es una ciudad joven, con muchos estudiantes como yo.

Javier: Para mí es Ciudad Real, en España.

Rosa: Mi ciudad ideal está cerca del mar... tiene las calles limpias, mucho ambiente, bares, discotecas, cines y galerías de arte pero también hay academias, institutos y una universidad.

José: Limpia y sin violencia, con mucho verde, con poco ruido.

Maite: Es una ciudad grande, con una oferta cultural enorme. En la ciudad ideal las personas se respetan, se valoran las diferencias y se pueden discutir.

Isabel: Para mí, en la ciudad ideal no hay contaminación de la industria, las calles están limpias, hay muchos espacios verdes... Los niños pueden estar en el parque o en la calle, es una ciudad donde la gente se respeta.

B. ¿Cuál es tu opinión? Escríbela en el foro.

15. Ciudades del mundo hispano

A. Elige dos ciudades y descríbelas. Puedes usar internet para buscar información y utilizar las palabras que te damos a continuación.

| histórica | modernista | bonita | con encanto | pintoresca |

| peculiar | con naturaleza | grande | pequeña | importante |

Bogotá

Buenos Aires

Caracas

Cuzco

México D.F.

Salamanca

B. Planeas un viaje a alguno de estos destinos. Escribe un texto explicando por qué prefieres esa ciudad. Puedes utilizar algunos de los verbos siguientes.

| pensar | elegir | preferir | poder |

· porque me gusta / tiene…
· por el tango / Machu Picchu…
· para aprender / ver…

Aprender una lengua es...

1. Aprendiendo, que es Gerundio

A. **¿Cómo aprenden idiomas estas personas? Completa las frases como en los ejemplos.**

1. Monique ve muchos DVD para aprender español.

    → *Monique aprende español viendo muchos DVD.*

2. A Gokce no le gustan las clases de lengua, pero viaja mucho.

    → *Gocke aprende lenguas viajando.*

3. Markus usa mucho el diccionario para aprender español.

    → Markus aprende español _usando_ mucho el diccionario.

4. Julie hace ejercicios en el ordenador para aprender español.

    → Julie aprende español _haciendo_ ejercicios en el ordenador.

5. Gael escucha las audiciones del libro fuera de clase para aprender español.

    → Gael aprende español _escuchando_ las audiciones del libro.

6. Jonas escribe mucho a sus amigas latinoamericanas para aprender español.

    → Jonas aprende español _escribiendo_ mucho a sus amigas latinoamericanas.

7. Tom recuerda mejor el léxico si repite las palabras.

    → Tom aprende el léxico _repitiendo_ las palabras.

8. Sin leer y escuchar textos interesantes, Sandra no puede aprender lenguas.

    → Sandra aprende lenguas _escuchando_ y _leyendo_ textos interesantes.

> El **Gerundio** da más información sobre la manera de hacer una acción.

B. **Escoge una de estas opciones y escribe sobre ti.**

| Yo lo paso bien... | Yo aprendo idiomas... |

Yo lo paso bien cuando aprendo con mis amigos.
Yo aprendo idiomas mejor cuando hablo mucho.

2. Universidades

A. Estas son algunas universidades importantes en el mundo hispano. Compáralas usando la información de esta tabla sobre su número de estudiantes y su antigüedad.

Universidad	www	Fundación	N° de Estudiantes (2005-2006)
Universidad de Granada	www.ugr.es	1531	88 109
Universidad Autónoma de México (UNAM)	www.unam.mx	1551	286 484
Universidad Carlos III de Madrid	www.uc3m.es	1989	17 000
Universidad Nacional de Buenos Aires (UBA)	www.uba.ar	1821	308 594
Universiad Central de Venezuela	www.ucv.ve	1721	Unos 60 000
Universidad de Chile	www.uchile.cl	1842	26 953

1. UBA/UNAM

   La UBA es más nueva que la UNAM.

2. UNAM / Universidad de Granada

   En la UNAM hay más estudiantes que en la Universi

3. Universidad Central de Venezuela / Universidad de Chile

   La U C de Centr de ven es mas grande que la Un

4. Universidad Carlos III / UBA

   ....

5. Universidad de Granada / Universidad de Chile

   ....

Facultad de Derecho de la Universidad de Granada.

B. En un ránking, ¿cuál gana en cada categoría? Escríbelo en frases enteras.

☐ pequeña ....

☐ grande ....

☐ moderna ....

☐ antigua ....

Mural de David Alfaro Siqueiros en la UNAM.

C. Busca en internet más información sobre estas universidades y compara otros datos sobre ellas. Haz un ránking y explica por qué das ese orden.

· es más + adjetivo + que...
· es menos + adjetivo + que...
· es mejor/peor + que...
· es el/la mejor/peor...
· es el/la más + adjetivo...

3. Consejos

A. Completa las frases con la forma correcta de **tener + que**.

1. Si tu estilo de aprendizaje es audiovisual, *tienes que* mirar más películas.
2. Para aprender una lengua *tienes que* practicar mucho.
3. Fernando no puede salir con Valentina los lunes por la tarde porque *tiene que* trabajar.
4. A nosotros nos encanta hablar con personas nativas, por eso *tenemos que* buscar un tándem.
5. Para lograr el nivel A2 *tienes que* ir a clase, hacer todas las actividades y estudiar bien la gramática. Si tienes un tándem, mejor.
6. Si vosotras queréis ser estudiantes autónomas, *tenéis que* ir al Centro de Lenguas, hablar con la tutora y hacer un plan de aprendizaje realista.
7. Para estudiar una lengua de forma autónoma *tienes que* ir al Centro de Autoaprendizaje.
8. Yo no *tengo que* ir a clase todos los días porque tengo una amiga colombiana. Me encanta practicar con ella.

B. ¿En cuál de las frases anteriores puedes usar también **hay que**? ¿Para quién son los consejos con **hay que**?

1, 2, 5 y 7,

4. Herramientas de aprendizaje

Escribe las preguntas con **qué** o **cuál/es**. Escribe las respuestas con la forma correcta del adjetivo.

1. ◻ Aquí tienes dos gramáticas. ¿*Cuál* te gusta más?
   ◼ *Esta. Es la más clara.*

claro

- · ¿Cuál/es + prefieres / quieres...?
- · ¿Qué + sustantivo + prefieres / quieres...?

2. ◻ Puedes elegir entre varios cursos. ¿*Cuáles* prefieres?
   ◼ *Estos. Son los más baratos.*

barato

3. ◻ Aquí tienes dos diccionarios. ¿ *Cuál es prefieres* ?
   ◼

bueno

4. ◻ Puedes elegir entre varias clases. ¿   ?
   ◼

pequeña

5. ◻ Los dos libros de ejercicios son para ti. ¿   ?
   ◼

fácil

6. ◻ ¿   diccionario de español en internet usas?
   ◼

mejor

7. ◻ ¿   película te llevas?
   ◼

divertido

8. ◻ ¿   carrera estudias?
   ◼

interesante

5. ¡Aprender sin miedo!

A. ¿Cuánto tiempo dedicas a estas actividades para aprender español u otras lenguas?

cada día   una vez (al mes, a la semana...)   a menudo   nunca   casi nunca

habitualmente   de vez en cuando   muy pocas veces   con frecuencia

- *A menudo* leo periódicos o revistas en español.
- *Muy pocas veces* hago intercambio de idiomas con algún hablante de español.
- *Habitualmente* hago ejercicios de gramática española.
- *A veces* veo películas o series de televisión en español.
- *Nunca.* navego por webs en español.
- *Con frecuencia* practico la pronunciación.
- *Dos veces a semana* voy a clases de español.

B. Continúa la lista anterior con cosas que te parecen útiles para aprender un idioma. ¿Con qué frecuencia las haces?

Escribir un diario en el idioma que estoy aprendiendo. No lo hago casi nunca.

6. Maneras de vivir

A. Eva y Lupe son estudiantes. Lee el resumen de sus agendas semanales y compáralas.

Eva

Lunes, martes y jueves: clases en la universidad de 8.00 a 16.00

Martes y viernes por la noche: clases de tango

Lunes, miércoles y jueves de 17.00 a 18.30: intercambio de inglés

Miércoles y sábados por la mañana: gimnasio

Viernes y sábados de 21.00 a 24.00: prácticas en "Radio multiculti"

Sábados y domingos: ir a ver a mamá y papá, ir al supermercado, limpiar y ordenar la casa, salir de noche...

Domingos por la mañana: fútbol

Lupe

Clases en la universidad: todos los días de 10.00 a 18.00

Martes por la noche: clases de salsa

Lunes y jueves de 17.00 a 18.30: intercambio de portugués

Miércoles y sábados por la noche: canguro a los hijos de Manuel

Lunes, miércoles y viernes de 20.00 a 24.00: prácticas en el hospital

Sábados y domingos: ¡dormir!, ir al supermercado, salir a caminar, hacer un poco de deporte, invitar a amigos a comer, visitar a mis padres, ir al cine...

1. Lupe no practica _tanto_ deporte _como_ Eva.
2. Lupe tiene _menos_ clases de baile _que_ Eva.
3. Eva tiene _menos_ horas de trabajo práctico _que_ Lupe.
4. Los sábados, Eva tiene _menos_ actividades _que_ Lupe.
5. Los domingos Eva no duerme _tanto_ como Lupe.
6. Lupe no trabaja con su tándem _tanto como_ Eva.
7. _Eva tiene mas inter-cambios que lupe._
8. _Eva ~~sali~~ sale por la noche más que Lupe._
9. _Lupe no, tantas practicas como Eva_
   practica actividades

> · tanto + sustantivo + como
> · más/menos + sustantivo + que
> · verbo + más/menos que
> · verbo + tanto como

B. Escoge a Eva o a Lupe e imagina cómo son sus fines de semana.
Describe lo que hace y con qué frecuencia.

_Los fines de semana de _____:_

Los fines de semana, yo duermo tarde y me
relajo mucho, antes, ~~de toma la~~ desayuno ~~muy~~   _usualy_
~~no en~~ una café local. Por la tarde, suelo
ir de compras o dar un paseo con mi amigo.
Una vez al mes, visito a mis padres y los otras
fines de semana ceno con amigos o voy al cine

7. Test: ¿te gusta hablar idiomas?

Completa las preguntas del siguiente test con las palabras **qué** o **cuál/es** y respóndelas.

TEST

1. ¿ _Que_ idiomas hablas?

2. ¿ _~~Que~~ Cuales_ hablas mejor?

3. ¿ _Que_ países del mundo hispano conoces?

4. ¿ _Cual_ te gusta más o conoces mejor?

5. ¿ _que_ sabes de ese país? Di dos cosas.

6. ¿ _que_ persona famosa conoces de ese país?

7. ¿ _que_ ciudad quieres visitar algún día para aprender español?

> · ¿Qué ciudades conoces?
> · ¿Cuál te gusta más (de esas ciudades)?
> · ¿Qué prefieres hacer?
> · Tengo estas películas, ¿cuál prefieres ver?

Que - what/
cual - which

8. El viaje de Valentina

A. Valentina organiza un viaje por Europa. El tren para en cada una de las ciudades nombradas. Escribe los nombres en el mapa y completa la tabla.

ciudad	país	lengua
1. Berlín		
2. Londres		
3. Lisboa		
4. Madrid		
5. París		
6. Praga		
7. Varsovia		
8. Moscú		
9. Budapest		
10. Bucarest		
11. Sofía		
12. Roma		

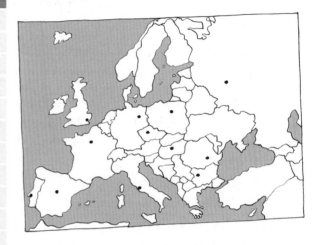

B. Ahora, haz tu propio itinerario: debe tener un mínimo de seis paradas y tiene que haber una razón para cada una.

> Mi itinerario (ciudades):
>
> Mi plan de viaje:

✱
· para + Infinitivo
· porque + verbo conjugado
· por/para + sustantivo

9. Lenguas que desaparecen

A. ¿Conoces bien tu lengua? Completa esta ficha; busca en internet la información necesaria.

Lengua: *Inglés*

Países en los que se habla: *67 Países hablan inglés como nativo*

Número de hablantes aproximado: *1.5 billion personas hablan Inglés en el Mundo*

Lenguas con las que tiene contacto: *Inglés, frances y español*

Libros importantes en esta lengua: *La biblia! Shakspeare / ...*

B. Lee este artículo sobre lenguas que pueden desaparecer. ¿Qué diferencias hay con la situación de tu lengua?

LENGUAS EN PELIGRO DE EXTINCIÓN

Cada dos semanas muere una lengua.
Casi el 50% de los 7000 idiomas que se hablan en el mundo puede desaparecer este siglo

Según un estudio de la National Geographic Society y el Instituto de Lenguas Vivas para los Idiomas en Peligro hay cinco regiones donde las lenguas están desapareciendo con gran rapidez: el norte de Australia, el norte de los Andes, la costa noroeste de Norteamérica, el estado de Oklahoma y el sudoeste de EEUU y Siberia oriental. Informan que existen 83 lenguas con importancia global, que usa el 80% de la población mundial. Pero se conservan 3500 idiomas que solo habla el 0,2% de los habitantes de la Tierra. Además la mitad de las lenguas que pueden desaparecer no tienen versión escrita.

El investigador Harrison explica que con las lenguas no solo desaparecen conocimientos ecológicos, secretos culinarios y medicinales sino también antiguas mitologías. Un ejemplo es el de los kallawaya, una etnia boliviana. En su región se habla el castellano y el quechua pero ellos conservan una lengua secreta para hablar sobre las plantas medicinales y su uso. Después de varios años de trabajo ya existen listas de vocabulario y gramáticas de muchas de las lenguas orales. Está claro que muchos de estos idiomas van a morir, pero ahora existe su registro.

Eusebio Val, La Vanguardia, 22.092007

C. En el texto aparece varias veces la palabra **desaparecer**, pero hay otras palabras o expresiones con el mismo significado. Anótalas.

D. ¿Cuáles son los aspectos culturales que mueren cuando muere una lengua?

Cuando una lengua muere, también se pierde mucha cultura, incluso historias, mitos y legendas, recetas de comida, tradicciones y historia! (myths,)

10. Proteger una lengua

A. Piensa en una lista de iniciativas que sirven para proteger una lengua en peligro de extinción.

hacer un diccionario de esa lengua   *tener TV y peliulas en del lengua nativo*
...

B. Imagina que tu lengua está en peligro de extinción. Escribe un artículo proponiendo estas iniciativas.

Es En un mundo cada vez más globalizado donde el Inglés, Español y Mandarin son los más dominantes, es muy importante preservar lenguas nativas. Es necesario TV y peliulas en la lengua, así libros. Es importante que la lengua se enseñe en escuelas.

> ✱
> · Es importante / necesario + Infinitivo
> · (No) hay que / tener que + Infinitivo
> · Creo que está bien / mal + Infinitivo

11. A mi manera

CD1
17-20

A. Escucha a estos estudiantes hablando sobre su experiencia aprendiendo idiomas y completa la tabla. Hay varias opciones correctas.

es individualista	es poco comunicativa	es muy comunicativo

necesita compartir su proceso	prefiere tener un profesor	es lúdico

le gusta experimentar la lengua	es poco disciplinado	es inseguro

1. Marisol	2. Sebastián	3. Leandro	4. Laura
es individualista es poco disciplinado intercambio	prefiere less clases grupo, prefiere practicar mucho le gusta experm. la lengua	prefiere tener un profesor	es muy comunicativo es inseguro.

B. Completa esta tabla con otras palabras de la misma familia.

sustantivo	adjetivo	verbo
seguridad.	seguro	asegurar.
experimento	experimentado	experimentar
responsabilidad.	responsable	responsibilizar.
lectora.	lector	leer
organización organizacion.	organizado	organizar
estudios	estudioso.	estudiar.
individuo	individualista	individualizar
comunicación.	comunicativo	comunicar.

C. ¿Cómo eres tú cuando estudias un idioma? Escoge las palabras que te definen y escríbelo.

Prefiero aprender con mi profesora y leer artículos y escuchar los podcasts.

Yo soy insegura hablando con en español pero estoy intentando hablar más

Mi primer día

A2

1. Conectar oraciones

A. Une estos pares de frases con el conector más adecuado; puedes hacer cambios en las frases y también cambiarlas de orden.

por eso   sin embargo

1. Claudia está enferma. + Claudia no viene a clase mañana.

   Claudia está enferma, *por eso* mañana no viene a clase.

además   pero

2. A mi hermano le encanta la música clásica. + A mí no me gusta nada la música clásica.

   A mi hermano le encataa la música clásica pero a mi no me gusta nada.

sin embargo   como

3. Este es Samuel: conoce bien la ciudad. + Samuel puede enseñarte la ciudad.

   Este es Samuel - como el conoce la ciudad, puede enseñarte.

aunque   porque

4. Me encanta la carne. + Voy a pedir pescado.

   Aunque me encanta la carne, voy a pedir pescado.

B. Une cada par de situaciones en una sola frase. Puedes usar cualquier conector de 1A.

1. Este sábado pienso ir de excursión. + Dicen que este sábado va a llover.

   Aunque dicen que esta sabado va a llove, pienso ir de excurr

2. Hoy tengo cita con el médico. + No puedo ir a clase hoy por la tarde.

   Hoy tengo cira con el médico, por eso no puedo ir a clase por la tarde.

3. Me encanta ir al cine. + Hoy prefiero quedarme en casa.

   Mi encanta ir al cine, sin embargo hoy prefiero guardarme en casa

2. Diario de Granada

A. Lucile va a pasar seis meses en la Universidad de Granada. Completa este fragmento de su diario con los conectores adecuados.

como	además	pero	también	sin embargo	aunque

10 DE SEPTIEMBRE DE 2011

Mi primer día

¡Hoy es mi primer día en Granada! Estoy muy cansada del viaje y tengo sueño, _pero_ tengo una idea genial: _como_ mi objetivo más importante para estos meses es aprender español, quiero escribir un diario en este idioma. _Aunque_ mi nivel no es muy bueno, creo que puedo decir bastantes cosas, _si además un dgo._ ¡va a ser divertido! No conozco la universidad, solo la residencia de estudiantes: ¡es estupenda! Mi compañera de habitación se llama Fátima, es de Portugal. Habla poco español, _sin embargo_ el portugués se parece y nos entendemos. Es muy simpática; _también_ son muy simpáticos los otros estudiantes nuevos. Nos acabamos de conocer en la visita guiada a la residencia. Bueno, es hora de dormir. ¡Hasta mañana!

B. Fíjate en las frases con estas palabras marcadas; son perífrasis verbales. ¿Sabes de qué momento hablan? Señala la opción correcta.

	pasado	presente	futuro
¡Va a ser divertido!			✓
Nos acabamos de conocer.	✓	✓	

C. Escribe una entrada en tu diario en español, por ejemplo, el día de hoy. ¡Puedes escribirlo durante todo este curso!

> ⚙ Llevar un **diario personal en español** te ayuda a practicar cada día y te permite observar tu evolución.

3. ¿Con o sin preposición?

Completa las frases con una preposición si es necesario.

> ⚠
> · Esperar el autobús
> · Esperar **a** una persona.
> · Llevar unos paquetes a casa.
> · Llevar **a** una persona al tren.

1. ◻ ¿Conoces _a_ Sebastián?
   ◼ No, ¿quién es?

2. ◻ ¿Conoces _____ Jaén?
   ◼ No, ¿dónde está?
   ◻ En Andalucía.

3. ◻ ¿_____ quién esperas?
   ◼ _____ Maite. Queremos ir de tapas.

4. ◻ ¿Qué haces en la calle a estas horas?
   ◼ Estoy esperando _____ un taxi.

5. ◻ ¿Adónde vas?
   ◼ Tengo que llevar _a_ los chicos al museo.

6. ◻ ¿Puedes darles estos formularios _a_ mis estudiantes?
   ◼ Claro. ¿Cuándo tengo que dárselos?

7. ◻ Tenemos que prestarle un diccionario _a_ Juan.
   ◼ En la biblioteca hay muchos.

4. Los compañeros de Lucile

Lucile escribe en su diario sobre sus compañeros de residencia. Completa estas frases.
Conjuga los verbos si es necesario.

venir de	ir a	volver de /	traer de	llevar a

1. Markus _vuelve de_ clase cada día a las ocho de la tarde, por eso nunca tiene tiempo para hacer algo de deporte. Eso no le gusta.
2. Lars dice que quiere _~~va a~~ traer de_ la biblioteca de su facultad un libro muy interesante sobre historia de la filosofía en Argentina. Estoy interesada en leerlo.
3. Daniela _lleva a_ clase el diccionario italiano-español, porque hay palabras que no entiende.
4. Mi compañera Fátima _~~viene de~~ va a_ Sevilla a veces porque sus tíos viven allí.
5. Hoy Zoran _viene de_ una cena con sus amigos croatas, está muy contento.

5. Lo tengo yo

A. Completa los diálogos con pronombres de Objeto Directo.

1. ▫ ¿Dónde está mi mochila?
   ▪ *La* tengo yo. ¿*La* necesitas ahora?
   ▫ Sí, ¿puedes dár*mela*?

2. ▫ ¿Dónde están las llaves del coche? Estoy buscándo _las_.
   ▪ _Las_ tiene Ramón. ¿ _las_ necesitas ahora mismo? Pídese _las_.

3. ▫ Y mis libros, ¿quién _los_ tiene?
   ▪ _los_ tiene Lucía.

4. ▫ No encuentro el portátil.
   ▪ _Lo_ tiene Santiago.

5. ▫ No encuentro mi móvil.
   ▪ _Lo_ tiene Pablo, es que _Lo_ necesita.

6. ▫ ¿Sabes dónde está la billetera de Miguel?
   ▪ _La_ está buscando pero no _La_ encuentra.

7. ▫ ¿Sabes quién tiene las tarjetas de crédito?
   ▪ Tu hermano _las_ tiene en su billetera.

B. Completa con pronombres de Objeto Directo y de Objeto Indirecto.

1. ▫ Paloma está buscando un profesor de inglés.
   ▪ ¿Por qué no _le_ recomiendas a Brian? Es muy bueno.

2. ▫ Ahora que vas a España, ¿por qué no _les_ compras un regalo a Sebastián y Pilar?
   ▪ Es verdad. El mes que viene es su aniversario.

3. ▫ ¿Me traes una revista de la mesita?
   ▪ ¿ _te_ traigo una en castellano o en inglés?

4. ▫ ¿Conoces un hotel barato en Barcelona? Queremos estar una semana.
   ▪ Sí, _te_ lo digo después. No tengo aquí las direcciones.

5. ▫ ¿Queréis las direcciones de mis amigos en Madrid?
   ▪ Sí, claro. ¿Cuándo _me_ las puedes dar?

6. ▫ ¿Le prestas el coche a David?
   ▪ Sí, _se lo_ presto si me lo trae antes del fin de semana.

7. ▫ Mañana hay examen de portugués y Maite no tiene diccionario bilingüe.
   ▪ _le_ puedes dar este. Yo no lo necesito.

> ✳
> · Me **lo** quiero comprar esta tarde.
> · No me **lo** quiero comprar esta tarde.
> · Quiero comprárme**lo** esta tarde.

> ⚠
> · le/les + lo = **se** lo
> · le/les + la = **se** la
> · le/les + los = **se** los
> · le/les + las = **se** las

6. ¿Quieres comprártelo o no te lo quieres comprar?

A. Completa con pronombres de Objeto Directo y de Objeto Indirecto.
Escribe claramente si forman parte de otra palabra o si van separados.

1. ◻ Hola, ¿sabes dónde está Pilar?
   ● Acabo de ver **la** en la Oficina Erasmus.

   La acabo de ver

2. ◻ Estoy buscando mi pasaporte y no **lo** encuentro.
   ● Creo que está en la mochila.

3. ◻ ¿Sabes dónde están las llaves del coche?
   ● No, ¿puedes buscar **las** en mi bolso, por favor?

4. ◻ ¿Podemos hablar un momento?
   ● Ahora no. Mis estudiantes **me** están esperando.

   Están esperando me

5. ◻ ¿No vas a presentar **nos** a tu amiga Raquel?
   ● Perdona. Mira Raquel, esta es Nuria.

B. Escribe las frases anteriores cambiando de lugar los pronombres
en todos los casos posibles.

7. Un pueblo muy turístico

A. Lee lo que cuenta Andrés sobre su pueblo. Completa el texto utilizando
muy, mucho/a/os/as, o **poco/a/os/as.**

Vivo en un pueblo que es pequeño pero **muy** **bonito**. Está cerca de una playa **muy** **famosa** adonde van **muchos** **turistas** durante el verano. Aunque viven **muchos niños**, hay ~~much~~ **pocas** **escuelas**: solo hay dos, pero son **muy** **grandes** y con **muchas** **instalaciones** para los estudiantes. Mi pueblo es famoso por sus restaurantes, de hecho, hay varios con **muy** **buena** fama, **muchos** de los **turistas** que vienen a mi pueblo, vienen para comer. Por otro lado, hay ~~muchas~~ **pocas** **discotecas**, por eso es **muy** **habitual** salir por la noche a otros pueblos que están cerca y donde hay **muchas** más **discotecas** que aquí. Creo que es un lugar **muy** **agradable** para pasar unas buenas vacaciones de verano, pero yo me aburro **mucho** **cuando** llega el frío: entonces hay ~~muchos~~ **pocos** turistas, la gente **sale** **poco** y las calles, las tiendas y los bares están **poco** **animados**.

B. Observa las palabras destacadas. ¿Qué tipo de palabra son? Anótalo.
Luego comprueba la solución del apartado A y completa la norma.

muy / poco	invariable (con adjectivo.
mucho/a/os/as +	variable (con sustantivos y verbos y adverbos
poco/a/os/as +	" " "

8. Culturas lejanas

**¿Recuerdas el artículo sobre los estudiantes chinos en Argentina de la unidad 3?
Lee estas frases que lo resumen y escoge el conector más adecuado en cada caso.**

1. Para casi 9 de cada 10 estudiantes chinos de español en la Universidad de Buenos Aires (UBA), aprender español significa mucho trabajo; **por eso sin embargo porque**, la mayoría lo ve como un elemento cultural interesante y como una lengua necesaria para trabajar o estudiar una carrera universitaria en el país. **También / además aunque y**, el español se ve como un elemento de cultura general (eso opina el 42% de los estudiantes entrevistados) y un valor agregado (21%).

2. A muchos estudiantes de China les gusta el país y están contentos, **aunque porque además** el 95% piensa que "las culturas son muy diferentes".

3. De Buenos Aires les gustan los edificios, la cultura y los museos (53%), los parques (26%), el clima y la gente (16%). Solo el 5% dice que no puede adaptarse a nuestra forma de comer **sino pero por eso** critican, al mismo tiempo, la suciedad de las calles, **aunque además y** el 42% no encuentra nada que decir cuando se le pregunta qué no le gusta de Buenos Aires.

4. Cuando los estudiantes hablan de discriminación, se dan datos interesantes. El 74% dice que no hay discriminación, **aunque también por eso** un 21% declara que "a veces sí" **o y e** un 5% habla de discriminación personal.

9. Erasmus

A. Hans se va de Erasmus dentro de una semana. Completa las frases con los pronombres adecuados fijándote en las palabras marcadas, que son su antecedente.

1. Tengo que bajar **los formularios** de internet y rellenar*los*.

2. Lo mejor es tener direcciones de **estudiantes** para preguntar*les* cosas importantes.

3. Es importante comprar **un mapa** y llevar *lo*.

4. Tengo que pedir el número de teléfono de **mi tutora** y llamar *la*.

5. Lo mejor es buscar **informaciones** en la red y leer *las*.

6. Me gustaría tener la dirección de **un chico o una chica** para escribir *le*.

7. Hay que pensar en **el formulario** del seguro médico y pedir *lo*.

8. Tengo que ver qué **trabajos y exámenes** son importantes y discutir *los* con mi profesora.

9. Es importante saber si hay cursos de lengua, cuáles son **los horarios** y apuntar *los*.

10. Quiero saber qué **documentos** son importantes y si hay una fecha para mandar *los*.

11. Tengo que saber **a quién** tengo que dar *le* los documentos.

12. Lo mejor es conocer **a una persona** para preguntar *le* todo lo que no sé.

B. ¿Tienes más consejos sobre lo que tiene que hacer un estudiante de Erasmus antes de irse? Escríbelos.

- ¿Saber quién es tu tutor y hablarle.
- Tengo que conocer dónde está la tienda ~~y~~ ille.

10. Craig y el cumpleaños

A. Escribe un relato para contar lo que les pasa a Craig y a Ruth. Usa los conectores que conoces y los pronombres de Objeto Directo e Indirecto. Inventa un final.

- Craig va a clase con su novia Ruth.
- Hoy es el cumpleaños de Ruth.
- Craig piensa preparar una fiesta sorpresa para Ruth.
- Ruth odia las fiestas sorpresa.
- Craig no sabe que Ruth odia las fiestas sorpresa.
- Por la noche, Craig le dice a Ruth que van a cenar los dos.
- A Ruth le encanta la idea de cenar solos.
- Craig lleva a Ruth a un bar donde les esperan todos los compañeros de clase.
- Ruth se enfada.
- Ruth quiere celebrar su cumpleaños de otra manera.
- Craig compra unas flores para Ruth.
- Ruth es alérgica a las flores.
- Craig no sabe qué hacer y quiere cancelar la fiesta.
- …

B. Craig le propone a Ruth salir a cenar por la noche. Completa el diálogo tal como tú te lo imaginas.

▢ Oye, Ruth, ¿............................... cenar esta noche? Como hoy es tu cumpleaños…

● ....

▢ ....

● ....

11. En mi ciudad hay…

A. Lee la descripción de esta plaza y describe de forma parecida una plaza de tu ciudad o de tu pueblo.

Esta es una plaza de mi ciudad. En el centro hay un monumento. La catedral está al lado del Ayuntamiento y enfrente de estos edificios hay restaurantes y bares. Al lado del bar Manolo está el banco. A la derecha del banco, el restaurante La Gamba, y a la izquierda del restaurante hay una librería. Detrás de la librería está el supermercado. En la plaza hay muchos árboles. Es una zona peatonal, por eso no hay ruido. La plaza es tranquila y limpia.

❋
· en el centro
· al lado de
· enfrente de
· a la derecha de
· a la izquierda de
· detrás de
· delante de

Esta es una plaze de mi ciudad. y en la biblioteca está en el centro de la plaza, y enfrente a eso está el museo y la cafetería. Al lado de museo, hay muchos bares y restaurantes. A la izquierda de plaza, hay muchas calles con tiendas famosas.

B. Escucha esta descripción del barrio de La Boca, en Buenos Aires. ¿Cuáles de estas palabras o expresiones te parecen adecuadas para describirlo?

CD1
33

| colorido | famoso | de oficinas | turístico | pintoresco | alegre | encantador |

| moderno | industrial | rico | residencial | trabajador | antiguo |

C. Piensa en un barrio que conozcas y descríbelo.

12. Perdone, ¿puede usted indicarme?

Da indicaciones para dirigirte a los siguientes lugares del mapa a partir del sitio marcado con una flecha. Puedes usar los elementos de las cajas.

- La cafetería
- El banco
- El polideportivo
- La biblioteca

> ✖
> Es un barrio
> · con…
> · de…
> · que tiene…
>
> En este barrio
> · hay…
> · puedes encontrar…

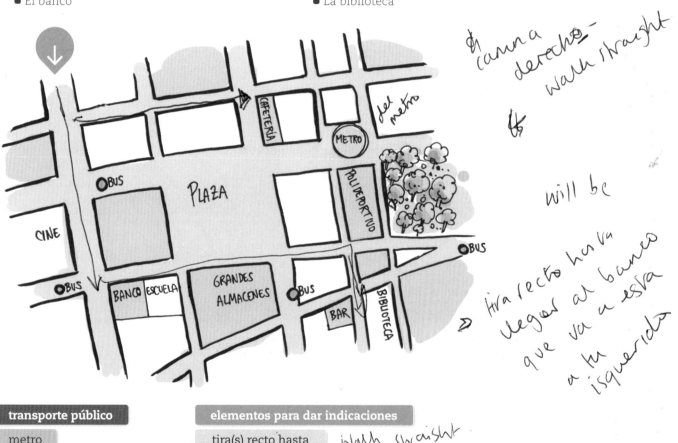

transporte público	elementos para dar indicaciones
metro	tira(s) recto hasta
estación de metro	gira(s) a la derecha (en la primera/segunda… calle)
autobús	cruza(s) la calle/plaza…
parada del autobús	cerca de
estación de trenes	no muy lejos de
	en el primer/segundo… piso
	baja(s) en la primera/segunda… parada

13. Servicios

A. ¿Sabes qué significan estos dibujos? Escríbelo debajo.

ambulancia
Autobus

Bombero

Farmacia.

Medicina
Doctoras

hospital

Iglesia.

biblioteca

Información
turística

correo

oficina
postal

Banco

Hotel
Hotel

B. ¿Qué otros servicios puede ofrecer una ciudad? Completa la lista.

Depósito de basura.
→ Cestos de basura

C. Explica cuáles de estos servicios utilizas normalmente y cuáles no, y por qué.

14. Medios de transporte

A. ¿Cuántos medios de transporte conoces en español? Escribe el nombre
de cada uno debajo de su fotografía y escribe al lado todos los que conoces.

Autobus

Ciclismo

Tren

Tranvia

B. ¿Cuáles son tus medios de transporte habituales? Explica cuándo
y para ir a dónde los usas.

Todos los días, conduzco y luego camino media milla hasta la estación de tren. Tomo el tren hacia el centro de Londres y camino un poco hacia mi oficina

Se vende piso

A2

1. Consejos para ir al extranjero

A. Esta es una lista de consejos para estudiantes que se van al extranjero.
Complétalos con la forma adecuada del Imperativo. Escribe más consejos.

1. Si todavía no tienes un seguro médico, *háztelo* (hacerlo).

2. _Ponla Pon_ (poner) la agenda en la mochila. Son tus números y direcciones más importantes.

3. Si no tienes claro el plan de estudios, _ve_ (ir) a la Oficina Erasmus de tu universidad.

4. _sé_ (ser) organizado: es mejor.

5. _ven_ (venir) con nosotros a las reuniones de información.

6. _ten_ (tener) presentes estos consejos.

7. _oye, estoy hablandote en_

8. _di mejor la verdad siempre._

you can / could you

B. Escribe estas frases conjugando los verbos para convertirlas en consejos.
Usa estructuras distintas para expresarlos.

1. (traer, vosotras) primero las cajas de libros _Traed primero las cajas._

2. (venir, ustedes) por la tarde _Vengan por la tarde._

3. (decir, tú) lo que piensas _Di lo que piensas._

4. (oír, tú) lo que te dicen _Oye lo que dicen._

5. (hacer, vosotros) lo que os digo _Haced lo que os digo_

6. (mostrarme, tú) lo que tienes en la mochila _Mas muéstrame lo que tienes_

7. (repetir, ustedes) los mismos ejercicios _Repitan los mismos_

8. (reírse, usted) de la gente _ríí ríase de la gente_

9. (seguir, tú) practicando los verbos _sigue sigue practicar_

you have / you have to or you should

> ※ **Consejos**
> · Imperativo
> · puedes / podrías + Infinitivo
> · tienes / tendrías que + Infinitivo

C. ¿Puedes expresar los mismos consejos con otras estructuras?
Cambia las frases del apartado anterior.

2. ¡Nos emancipamos!

Tú y un amigo o amiga vais a vivir juntos y buscáis un piso. Lee estos anuncios y decide a qué piso queréis ir. Explica por qué.

A Se alquilan dos habitaciones individuales para estudiante o becario, en piso compartido con chicas de la misma condición, en zona céntrica de Madrid. Tiene 4 dormitorios, salón, cocina, galería y terraza. La habitación tiene una cama, mesilla, armario, mesa y silla, y está libre a partir del próximo 1 de enero. 350 € al mes. Fumadores no.

B Habitaciones amuebladas y luminosas en Madrid. Internet. Cerca del metro Oporto. Especial estudiantes Erasmus. Bien comunicadas con universidades y centro. 250 € al mes. Para ver, llamar al 6270861345: Victoria.

C Alquilo dos habitaciones en el barrio de Lavapiés, en Madrid. Baño, zona céntrica con mucho ambiente, muchos supermercados y parques cerca. Piso nuevo de 2 habitaciones, 2 baños, salón amplio, cocina. El precio es de 400 € más gastos y un mes de fianza. Libre desde el 3 de marzo.

D Alquilo habitaciones hasta finales del mes de junio en piso compartido con una chica y un chico en zona periférica de Madrid. Piso muy luminoso, zona tranquila y bien comunicada, bus de la facultad a dos minutos, a 10 minutos a pie de la estación de tren. 250 € al mes, incluye comunidad. Gastos de luz y agua a compartir según consumo con los otros chicos. Si te interesa y quieres verlo, llama al 669241775.

3. Cosas que hay que hacer

A. Eva es muy ordenada y se va de vacaciones. Su compañero Juanjo, que es muy despistado, se va a ocupar del piso y Eva le hace una lista con lo que tiene que hacer. Continúa la lista de Eva con estos elementos.

lavar	barrer	regar	tirar	limpiar	cocinar

la cocina	las plantas	la carne	el suelo	la ropa	la basura

cada día	una vez por semana	antes de...	después de...

Órdenes y peticiones
· Imperativo
· tienes / tendrías que + Infinitivo
· podrías + Infinitivo
Favores y peticiones
· Imperativo
· ¿puedes / podrías + Infinitivo?
· ¿te importa + Infinitivo?

Lava la ropa una vez por semana.

B. Eva le ha pedido estas cosas a Juanjo otras veces. Escribe las frases que ha usado.

1. Juanjo, ¿podrías _limpiar la cocina_ por favor?
2. _Tienes que_ barrer el suelo, ¡acuérdate!
3. ¿_____? ¡Gracias!
4. _Te importa limpi. lavar la ropa?_
5. _Podrías regar las plantas_
6. _te importa regar la basura._

> ⚙️
> Los **consejos**, los **favores**, las **órdenes** y las **peticiones** se pueden expresar a veces con las mismas estructuras lingüísticas. El contexto, tono y algunas expresiones que acompañan definen si se trata de una cosa u otra.

4. Favores

Eva está enferma y no puede moverse de casa, por eso le pide un favor a Juanjo. Completa el texto con la forma adecuada del Imperativo.

_ve ,_

haz me
_do me._

| hacer | llamar | rellenar | buscar | ir | entregar | coger |

Juanjo, _hazme_ un favor. Necesito una novela. Se llama *Cien años de soledad*. Es de García Márquez. Coge mi carné y _ve_ a la biblioteca. Si no la encuentras en las estanterías, _búscala_ en la base de datos de los ordenadores. Después _rellena_ el formulario a mi nombre. Este libro lo necesito para hacer un trabajo. Tengo que _entregárselo_ selo la semana que viene al profesor de literatura. Si en la biblioteca no está el libro, _llámame_ me por teléfono, porque entonces me lo tengo que comprar. ¡Muchas gracias!

5. ¿Cuándo tienes clases?

Completa los diálogos usando estas palabras.

| primero | los | en | a | después de | mientras | por | hasta | de |

1. ◻ ¿Cuándo tienes clases?
   ● _los_ lunes y _los_ jueves, _por_ la tarde.
2. ◻ ¿Cuándo haces deporte?
   ● Todos _los_ fines de semana.
3. ◻ ¿Cuándo tienes vacaciones?
   ● _En_ agosto y a veces _en_ Semana Santa.
4. ◻ ¿Cuándo te encuentras con tu tándem?
   ● Todos _los_ martes, _de_ 10.00 _a_ 12.00.
5. ◻ ¿Cuándo empieza la clase de Literatura?
   ● _A_ las 14.00.
6. ◻ ¿Cuándo vuelve Alejandra?
   ● Tarde. Hoy trabaja _hasta._ las 10.00 de la noche.
7. ◻ Buenos días, ¿quieres un café?
   ● Gracias, me ducho _primero_ y _después de_ ducharme me lo tomo.
8. ◻ A mí me encanta escuchar música _después de_ trabajo. _mientras_
   ● A mí no, porque no puedo concentrarme.

6. Un día en la vida de Manuel

Esto es lo que ha hecho Manuel hoy. Redáctalo usando los marcadores temporales necesarios y sin decir las horas. ¿Qué tiempo verbal necesitas?

9 a 12.30:	clase en la universidad
12.30 a 13.45:	biblioteca
13.45 a 14.45:	comida
13.45 a 14.45:	repasar inglés
15 a 16	examen de inglés
16.30 a 17.30	clase en la universidad
18 a 19:	partido de baloncesto y tomar algo con los del partido
20.30 en adelante:	estar en casa, hacer la cena, cenar y ver una película

7. Hoy ha sido un día fatal

Completa las frases respondiendo a la pregunta del principio.

□ ¿Qué te ha pasado?   ● He tenido un día fatal porque...

En el Pretérito Perfecto de los verbos pronominales se coloca el pronombre delante del verbo **haber**:
· Me **he** lavado.

1. *Me he levantado* (levantarse) tarde y (no poder) *no he podido* ducharme.
2. *No he tomado* (no tomar) el metro de siempre y *he llegado* (llegar) tarde a la facultad.
3. *Me he sentido* (sentirse) mal todo el día.
4. *He perdido* (perder) las llaves de casa, no sé dónde las *he dejado* (dejar).
5. *No ha funcionado* (no funcionar) la conexión a internet y _____ (estar) todo el día incomunicado.
6. *Me he olvidado* (olvidar) el móvil en el bar donde *he tomado* (tomar) un café frío.
7. *No he podido* (no poder) llamar a nadie ni organizar mi fin de semana.
8. *No he tenido* (no tener) tiempo ni para comer y lo poco que *he comido* (comer) *ha sido* (ser) horrible.
9. *He llegado* (llegar) a casa tardísimo, cansado, nervioso y de mal humor.
10. *He discutido* (discutir) con todo el mundo y les *he gritado* (gritar) a mis compañeros de piso.

8. ¡Anímate y cómpratelo, hombre!

¿A qué se refieren los pronombres de estos verbos en Imperativo? Relaciónalos con la columna de la derecha.

los formularios	el sombrero	yo	las plantas	lo que acabo de decir	la agenda	el artículo

Para aprender los pronombres de Objeto Directo e Indirecto puedes marcarlos de distintas maneras y escribir al lado su antecedente, es decir, la palabra a la que se refieren.

	qué	quién	a quién
Dásela.	la agenda	Tu	el or ella
Póntelo.	el sombrero	Tu	Tu
Lléveselas.	las plantas	usted	el or ella
Tráeselos.	los formularios	Tu	el or ella
Míreme.	yo	usted	
Léamelo.	el artículo	usted	mí
Pensadlo	lo que acaso de decir	vosotros	

9. Anuncios

A. Lee estos anuncios de personas que buscan piso en Madrid y relaciónalos con los anuncios del ejercicio 2.

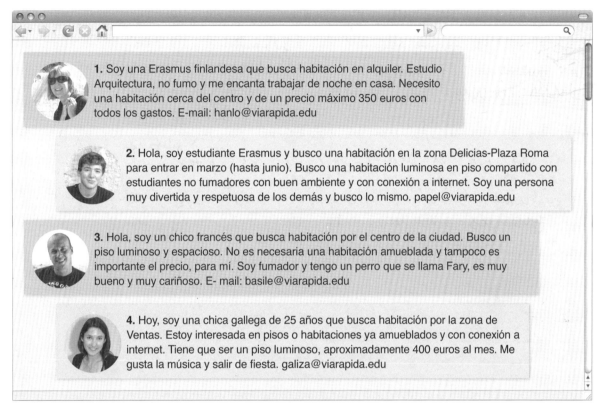

1. Soy una Erasmus finlandesa que busca habitación en alquiler. Estudio Arquitectura, no fumo y me encanta trabajar de noche en casa. Necesito una habitación cerca del centro y de un precio máximo 350 euros con todos los gastos. E-mail: hanlo@viarapida.edu

2. Hola, soy estudiante Erasmus y busco una habitación en la zona Delicias-Plaza Roma para entrar en marzo (hasta junio). Busco una habitación luminosa en piso compartido con estudiantes no fumadores con buen ambiente y con conexión a internet. Soy una persona muy divertida y respetuosa de los demás y busco lo mismo. papel@viarapida.edu

3. Hola, soy un chico francés que busca habitación por el centro de la ciudad. Busco un piso luminoso y espacioso. No es necesaria una habitación amueblada y tampoco es importante el precio, para mí. Soy fumador y tengo un perro que se llama Fary, es muy bueno y muy cariñoso. E- mail: basile@viarapida.edu

4. Hoy, soy una chica gallega de 25 años que busca habitación por la zona de Ventas. Estoy interesada en pisos o habitaciones ya amueblados y con conexión a internet. Tiene que ser un piso luminoso, aproximadamente 400 euros al mes. Me gusta la música y salir de fiesta. galiza@viarapida.edu

B. ¿Cuál es el mejor compañero de piso para ti? ¿Por qué?

....

....

....

10. Mi piso ideal

A. ¿Cómo es tu piso ideal? Haz una lista de características que debe cumplir.

B. Ahora, escribe un anuncio buscando ese tipo de piso.

BUSCO PISO

11. Busco piso

CD1
43-44

A. Escucha llamadas telefónicas en las que se habla de las características de dos pisos diferentes. Anota las más importantes para ti.

piso 1	piso 2
€550/m no hay A/C con muebles Antigua electric incluso cerca de estacion	505 m² hay autobus de mi 3 habitaciones ↓ muy pequeñita cocina y baño € 250/m no hay mueslar incluyo bills no l lc

B. Elige uno de los dos pisos y explica por qué lo has elegido.

Yo prefiero el piso 1 - porque el precio es mas asequible y el piso está amueblado. Aunque no hay a/c, el porque piso es antigua, la ubicacion es buene.

12. Problemas de convivencia

A. Lee este correo electrónico que Jaime ha escrito a su hermano mayor sobre su primer día en su piso nuevo.

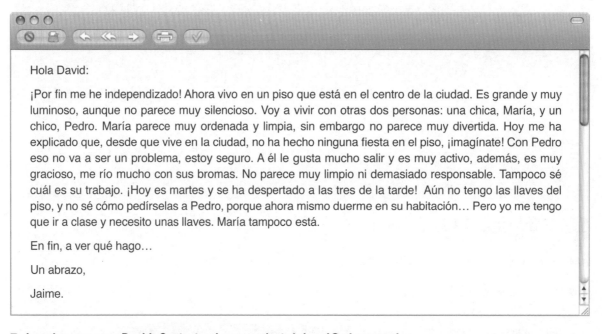

Hola David:

¡Por fin me he independizado! Ahora vivo en un piso que está en el centro de la ciudad. Es grande y muy luminoso, aunque no parece muy silencioso. Voy a vivir con otras dos personas: una chica, María, y un chico, Pedro. María parece muy ordenada y limpia, sin embargo no parece muy divertida. Hoy me ha explicado que, desde que vive en la ciudad, no ha hecho ninguna fiesta en el piso, ¡imagínate! Con Pedro eso no va a ser un problema, estoy seguro. A él le gusta mucho salir y es muy activo, además, es muy gracioso, me río mucho con sus bromas. No parece muy limpio ni demasiado responsable. Tampoco sé cuál es su trabajo. ¡Hoy es martes y se ha despertado a las tres de la tarde! Aún no tengo las llaves del piso, y no sé cómo pedírselas a Pedro, porque ahora mismo duerme en su habitación… Pero yo me tengo que ir a clase y necesito unas llaves. María tampoco está.

En fin, a ver qué hago…

Un abrazo,

Jaime.

B. Imagina que eres David. Contesta al correo electrónico. ¿Qué pensará de los compañeros de piso de su hermano?

13. Rehabilitación

Lee este artículo. Luego, completa el texto con la información que falta.

Programa de rehabilitación de viviendas tradicionales en Coro y La Vela, Venezuela

Las ciudades venezolanas de Coro y La Vela pertenecen, con sus interesantes centros históricos, al patrimonio cultural de la humanidad de la UNESCO. Pero para poder conservarlas, las ciudades necesitan una reconstrucción. Por eso el Estado venezolano acaba de comenzar un programa de rehabilitación. Sus objetivos son:

- Mejorar la calidad de vida de las familias que viven en el área.
- Conservar los edificios tradicionales en los centros históricos de Coro y La Vela.
- Recuperar el paisaje urbano y crear una atmósfera favorable para la revitalización de los centros históricos.

Hasta el momento hay más de 380 casas tradicionales reconstruidas. También se acaba de formar a 50 especialistas en construcción manual. Además, los habitantes de estas ciudades trabajan en varios grupos para cuidar y revitalizar las tradiciones y costumbres de la región. Este proyecto venezolano es reconocido a nivel nacional e internacional.

En Venezuela, la UNESCO declara a las ciudades de Coro y La Vela patrimonio cultural de la humanidad porque tienen _los edificios tradicionales_ Pero es necesaria una _reconstrucción_ para _conservarlas_. Existe un _programa_ que el Estado venezolano financia. Después de la reconstrucción, la calidad de vida de la población va a _mejorar_. No solo el Estado sino también los _personas habitantes_ participan en el programa. Les interesa _revitalizar_ las tradiciones y costumbres de la región.

a) interesantes centros historicos

14. Pros y contras

CD1 42

A. Escucha a Javier explicando algunas características de su piso. Escribe en dos columnas qué cosas buenas y qué cosas malas tiene ese piso, en tu opinión.

cosas buenas	cosas malas

B. Cuenta cómo es el piso que va a ver Alejandra.

Condiciones
· contrato
· precio
· fianza
· gastos incluidos
· internet
Situación
· zona
· piso
Descripción
· es... nuevo/exterior/ luminoso/grande...
· está... amueblado/ en buen estado/ bien comunicado...
· tiene terraza/balcón...

15. Una mañana normal

Describe con detalle cómo es una mañana normal en tu vida, puedes utilizar las palabras de las cajas y otras.

levantarse

ducharse

secarse

peinarse

afeitarse

vestirse

lavarse la cara / el pelo...

desayunar

leer el periódico

ir a clase / a trabajar / a correr...

normalmente

siempre

nunca

casi siempre

a veces

con frecuencia

todos los días

todas las noches

todas las tardes

todas las semanas

por la mañana

por la tarde

por la noche

antes de

después de

mientras

primero

después

por último

16. Mudanzas

¿Recuerdas el nombre de los muebles? Escríbelo en su lugar. Coloca también el artículo adecuado.

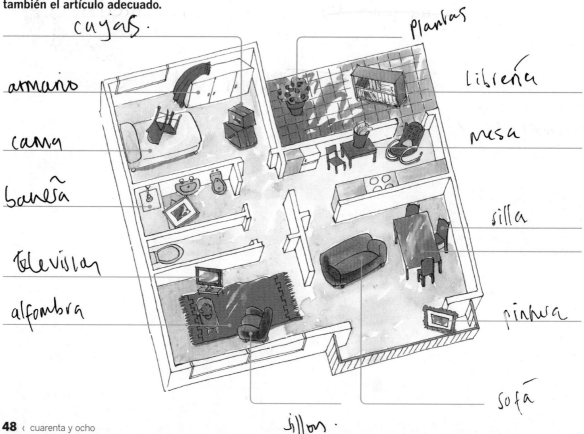

Cuando estuve en Buenos Aires...

1. Los problemas de Vicente

A. Vicente está estresado y se siente mal. Lee lo que cuenta y dale consejos para mejorar.

1. A veces voy a dormir muy tarde porque me quedo viendo la televisión.

2. Fumo casi veinte cigarrillos al día y me canso mucho.

3. Creo que vivo solo para trabajar y eso no me gusta.

4. Me gusta mucho el café: tomo cuatro al día.

5. Trabajo mucho y duermo poco.

6. Salgo de copas con mis amigos muchas noches y llego tarde a casa.

7. Tengo algunos kilos de más, creo que como demasiado.

8. Paso mucho tiempo jugando a videojuegos, por eso me falta tiempo para estudiar.

B. Vicente quiere seducir a una chica, pero no es muy hábil. ¿Puedes completar estas frases con consejos?

1. (hablar) _habla_ con ella de lo que quieras: lo importante es que (mostrar) _muestra_ interés y simpatía.

2. (hacerle) _hacete_ muchas preguntas: a todo el mundo le encanta hablar de sí mismo.

3. (mostrarle) _mostrale_ que te interesa todo lo que te cuenta.

4. Si estás solo, triste y deprimido, no (contárselo, a ella) _la contes_ .

5. No (preguntarle) _le preguntes la_ si está sola.

6. Nunca (irse) _te vayas la_ sin su número de teléfono.

7. No (hablar) _habla_ de ligar: ¡(ligar) _liga_ !

> ✖ **Consejos**
> · puedes / podrías + Infinitivo
> · es mejor + Infinitivo
> · Imperativo

C. Según lo que has leído, ¿qué cosas no sabe hacer Vicente? Imagina también algunas cosas que sí sabe hacer y escríbelas.

| seducir a chicas | bailar | divertir a sus amigos | cuidarse | escribir |

Vicente no sabe ....
....
....

2. ¡No lo hagas!

Cambia estas frases siguiendo el ejemplo.

1. Dale la libreta a Ernesto. → *Dásela*

   No le des la libreta a Ernesto → *No se la des.*

2. Ponte el jersey. → Póntelo .

   No te pongas el jersey

3. Suban los muebles, por favor. → Súbanlos

   No suban los muebles por fav.

4. ¡Llévate las cerezas, mujer! → Llévotelas

   No te la notes las cerezas

5. Busca el cámping en internet. → Búscala

   No lo busques el camping en intern.

6. Tráele los apuntes a Javier. → Tráeselos

   No le traigas los apuntes a Jav.

7. Escriban su nombre completo. → Escríbanlo

   No lo escriban su

8. Compra las copas esta tarde. → Cómplalas

   No las compras nin

3. Pretérito Indefinido

A. Fíjate en las formas de la primera persona singular del Pretérito Indefinido de estos verbos. Marca los que son irregulares y clasifícalos en la tabla.

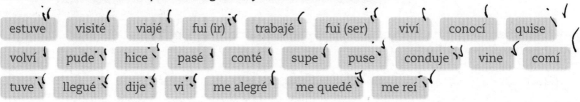

estuve	visité	viajé	fui (ir)	trabajé	fui (ser)	viví	conocí	quise
volví	pude	hice	pasé	conté	supe	puse	conduje	vine	comí
tuve	llegué	dije	vi	me alegré	me quedé	me reí

verbos regulares	verbos irregulares
estuve	

B. Completa esta historia con los verbos aparecidos 3A en Pretérito Indefinido.

Ayer **vi** (yo / ver) a Juan en la calle y me **dije** (decir) que quiere ir a estudiar al extranjero. Yo **me alegré** (alegrarse) por él y le **pregunté** (preguntar) por la opinión de su novia, Sara. Él me **dije** (decir) que Sara y él ya no están juntos. ¡ **Aquello fue** (aquello / ser) una sorpresa para mí! (yo / quedarse) **me quedé** callado y al final (yo / decir) **dije** : ¡lo siento! Juan **me rei** (reírse) y **dije** (decir) "No te preocupes, estas cosas pasan". Supongo que sí, que estas cosas pasan. Además, según me (contar) **conté** Juan, (aquello / ser) **aquello fue** algo bueno para los dos.

C. Explica alguna experiencia tuya, usando al menos cinco de los verbos del apartado 3A.

4. Un incendio en Madrid

A. Completa estos fragmentos de noticias usando el Pretérito Indefinido o el Pretérito Perfecto. Subraya los marcadores temporales que los acompañan.

1. **Un gran incendio destruye en estos momentos la torre Windsor de Madrid. Los bomberos** no **han podido** (poder) **controlar aún un fuego que** **empezó** (empezar) **sobre la medianoche del sábado 12 de febrero en una oficina de la planta 21 del rascacielos.**

2. Un total de 300 bomberos **han trabajado** (trabajar) estos dos días para controlar el incendio y garantizar la seguridad en los alrededores del edificio.

3. **El servicio de emergencias 112** **avisó** (avisar) **ayer a los vecinos que residen a 500 metros a la redonda del edificio de que deben mantener cerradas las puertas y ventanas de sus casas para evitar intoxicaciones.**

4. Esta semana **hemos visto** (nosotros / ver) cómo el octavo edificio en altura de Madrid, la torre Windsor, **ha quedado** (quedar) reducido a un esqueleto de hierro. La estructura **ha resistido** (resistir) las llamas, pero se teme el posible derrumbamiento del edificio.

5. Hoy se cumplen 5 años del incendio que **destruyó** (destruir) por completo uno de los primeros rascacielos "inteligentes" de la ciudad de Madrid. El suceso **comenzó** (comenzar) la noche del 12 de febrero de 2005 y **se prolongó** (prolongarse) durante el día 13 de ese mismo mes. El rascacielos **quemó** (quemar) durante más de 20 horas. Seis meses después, en agosto de 2005, **empeza empezaron** (empezar) los trabajos para derribarlo.

6. Este **ha sido** (ser), probablemente, el incendio más espectacular de los ocurridos en Madrid en los últimos 25 años.

B. ¿Qué marcadores temporales aparecen con cada pretérito? Escríbelos en la tabla.

marcadores temporales	
con Pretérito Perfecto	con Pretérito Indefinido
esta esta semana, estos dos días. estos este aun	ayer la noche del. durante el día. el día 13. la media noche del sabado 12.

5. Plantar un árbol, tener un hijo y escribir un libro

¿Cuántas de estas cosas ya has hecho? Escribe frases usando los marcadores temporales que conoces.

| escribir un libro | plantar un árbol | tener un hijo | casarse | enamorarse |

| divorciarse | vivir en el extranjero | tocar un instrumento | aprender un idioma |

| jubilarse | viajar por Asia | dar una conferencia | aparecer en la televisión |

6. El viaje de Michael por España

Michael le cuenta a una amiga su viaje a España. Completa su diálogo con los verbos ser y estar.

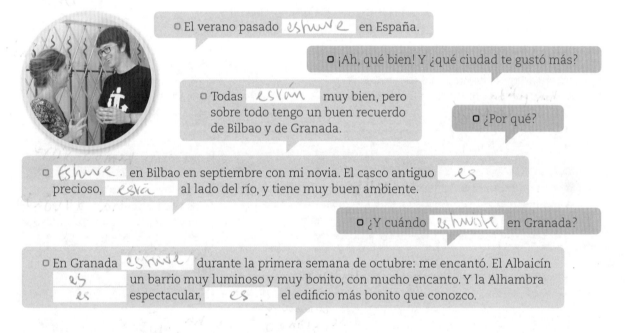

□ El verano pasado _estuve_ en España.

□ ¡Ah, qué bien! Y ¿qué ciudad te gustó más?

□ Todas _están_ muy bien, pero sobre todo tengo un buen recuerdo de Bilbao y de Granada.

□ ¿Por qué?

□ _Estuve_ en Bilbao en septiembre con mi novia. El casco antiguo _es_ precioso, _está_ al lado del río, y tiene muy buen ambiente.

□ ¿Y cuándo _estuviste_ en Granada?

□ En Granada _estuve_ durante la primera semana de octubre: me encantó. El Albaicín _es_ un barrio muy luminoso y muy bonito, con mucho encanto. Y la Alhambra _es_ espectacular, _es_ el edificio más bonito que conozco.

7. Si se trabaja...

Transforma las frases como en el ejemplo, usando el se impersonal.

1. <u>Firmando</u> leyes contra la caza comercial y científica de los cetáceos, se garantiza el ciclo de vida y su hábitat natural. → *Si se firman leyes contra la caza comercial y científica de los cetáceos, se garantiza el ciclo de vida y su hábitat natural.*

2. Desarrollando el ecoturismo, desarrollamos a las poblaciones de la costa.

3. Organizándose, la ciudadanía puede lograr muchas cosas buenas, como lo demuestra la campaña "Chile 2008: santuario de ballenas".

4. Declarando una zona de protección para las especies, garantizamos su ciclo de vida y hábitat natural a largo plazo.

5. Protegiendo a las ballenas de la caza comercial y científica, estas vuelven a sus lugares originales de alimentación y reproducción.

8. Campañas de prevención

Lee estas frases de unas campañas institucionales. ¿Cuál es su sujeto?
Ahora, transfórmalas en frases impersonales.

· se puede / no se puede + Infinitivo
· se debe / no se debe + Infinitivo
· se + verbo conjugado en 3ª pers.

1. Para pasarlo bien no podemos tener en la cabeza el temor al embarazo.

   No se puede tener en la casa va

2. No debemos mezclar el alcohol y los medicamentos.

   No se deben

3. Si consumes cannabis corres el riesgo de perder memoria.

   Si se consume cannabis se corre ..

4. No debes conducir cuando has tomado alcohol.

   No se debe conducir cuando se has tomado.

9. ¿Ser o estar?

A. Estos adjetivos solo pueden combinarse con uno de los dos verbos: ser o estar.
Clasifícalos y escribe frases usando al menos tres de cada columna.

| auténtico/a | contento/a | de buen humor | ecológico/a | gratis | típico/a |
| internacional | mediano/a | preocupado/a | prestigioso/a | racista | pacifista |

ser	estar
de buen humor / auténtico/a / internacional / racista / ecológico/a / típico/a / pacifista	preocupada / contento/a / gratis

Estoy preocupada porque mi madre está enferma. / Es bueno tener buen humor.
Sara está contenta con su cena.
Algunos países son racistas. Todos debemos intentar ser ecológicos/as.

B. Los adjetivos de estas frases se pueden usar con ser y con estar,
según el contexto. ¿Sabes cuál es el verbo adecuado en estas frases?

1. Antes de un examen (yo) *estoy* muy nervioso pero en realidad no *soy* una persona nerviosa.
2. ¿Qué le pasa a Juan que hoy *está* tan simpático con nosotras? Seguro que necesita algo.
3. Dicen que Vitoria *es* una de las ciudades más limpias de España.
4. Maite *está* muy tranquila porque acaba de terminar sus exámenes.
5. *Somos* (nosotras) solidarias, activas y serias: ¡justo lo que piden en este anuncio de trabajo!
6. Esta música *es* horrible.
7. Los chicos *están* tristes porque llegan las vacaciones y se acaban las clases de castellano.
8. Barcelona y Buenos Aires *son* ciudades renovadas.
9. *Es* triste tener que volver al trabajo después de las vacaciones.

10. Experiencias en el extranjero

CD1
48-52

A. ¿Recuerdas las cinco personas que cuentan su experiencia en el extranjero? Escucha lo que dicen y piensa cuál te parece más interesante.

B. Vuélvelas a escuchar tomando notas y resume su experiencia por escrito.

11. Estudiantes de español en Argentina: un estudio

A. Lee las preguntas de la página siguiente y responde con la información de los gráficos.

Fuente: Datos publicados en un estudio sobre los estudiantes de español en la República Argentina en los años 2004 a 2006.

1. ¿Qué tipos de centros de estudios prefieren los estudiantes? *Universidades e institutos terciarios*

2. ¿Cuántas horas por semana dedica la mayoría a aprender español? *20 horas*

3. ¿Qué porcentaje de estudiantes se queda un año en Argentina? *3%.*

4. ¿Qué tipo de clases prefieren los estudiantes? *Grupales.*

5. ¿De qué continente procede la mayor parte de los alumnos? *Europa.*

6. ¿Qué edad tiene la mayor parte de los estudiantes? *Más 15 años*

7. ¿Cuáles son sus motivos principales para ir a Argentina? *Turismo.*

8. ¿Dónde prefiere alojarse el 61% de los estudiantes? *Hostal o Casa de familia.*

B. ¿Qué gráfico corresponde a estas afirmaciones?

1. Casi no hay diferencia entre los dos tipos de centros: los estudiantes eligen tanto la universidad como los institutos privados. Esto se puede explicar por similares estrategias de promoción y participación en el mercado. → *G*

2. Cuando eligen un lugar de residencia, los estudiantes de español prefieren lugares que permiten un contacto continuo con gente local y principalmente joven: hostales, casas de familias, y sólo en tercer lugar hoteles. → *B*

3. Más del 75% de los estudiantes de español prefieren las clases grupales en 2006. → *H*

4. Se ve claramente la preferencia por los cursos intensivos de más de diez horas semanales. Estos cursos concentran casi el 75% de la enseñanza impartida. → *C*

5. El gráfico permite observar que los dos grandes contingentes que llegan a estudiar español a Argentina provienen de Europa y América del Norte. Los intercambios universitarios son los que aumentan estos números. → *F*

6. Las motivaciones principales que atraen a los estudiantes de español hacia Argentina son el turismo y los cursos específicos de idioma. Estos dos aspectos concentran casi el 60% de los casos analizados. → *A*

7. Si analizamos la duración de los cursos preferidos en 2006, observamos un aumento en las estadías breves (de un mes o menores), que en este período absorben el 84% de todos los cursos. → *E*

8. El 85% de las personas que vienen a Argentina y realizan estudios de español tiene entre 21 y 40 años. Los menores de 30 años se acercan al español sobre todo a través de cursos de grado o programas de intercambio universitario, y los mayores de 30 tienen motivos laborales, necesitan el español para estudios de postgrado o para planes de actualización profesional. → *D*

12. Familias de palabras

A. Estas palabras están solas y buscan a sus familias. Ayúdalas a encontrarlas.

irrompible	escrito	personaje	irracional	impersonal	rompedor
personalmente	razonar	insuperable	razonablemente	iluminar
luminoso	escribiente	ruptura	iluminado	superación	razonable
superado	racional	iluminador	escritura	escritor	personalizar
personarse	sinrazón	roto	escribano

romper	*roto, rompedor, irrompible, razonar*
persona	*impersonal, personalmente, personaje, personarse, personalizar*
luz	*iluminador, luminoso, iluminar, iluminado*
superar	*superado, superación, superado*
escribir	*escrito, escribano, escritor, escritura, escribiente*
razón	*irracional, razonar, sinrazón, racional, razonablemente*
	ruptura,

B. Señala las partículas (prefijos, sufijos y desinencias) en las palabras que has clasificado. ¿Qué tipo de palabra son: nombre, adjetivo, verbo o adverbio?

13. Mapa de palabras: el viaje

Completa este mapa con las palabras que puedes asociar a la idea de viaje.
Puedes repasar los textos de la unidad para acordarte mejor.

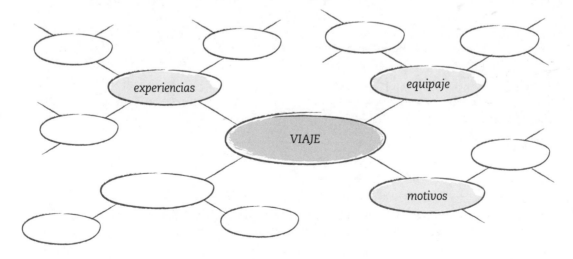

¡A la mesa!

A2

1. Ayer estaba haciendo los ejercicios...

Lee estos textos en los que se usa el Gerundio. Después, completa las frases con una de estas construcciones.

`Gerundio`   `estar + Gerundio`   `seguir + Gerundio`

POLICÍA.– ¿Dónde estaba usted ayer entre nueve y diez?
VECINO.– Estaba en casa.
POLICÍA.– ¿Y qué *estaba haciendo*?
VECINO.– *Estaba viendo* las noticias.

He visto a una señora *bailando* claqué en la calle. Creo que *están haciendo* una película...

Mis tías Cecilia y Emma Sofía emigraron a Estados Unidos hace veinte años, pero *siguen hablando* español, *escuchando* música mexicana y *festejando* con esa pasión por la fiesta tan propia de México.

1. ◻ ¿De dónde vienes?
   - De la biblioteca de la escuela de español, es muy agradable. Hoy había un grupo de Erasmus (leer) *leyendo* periódicos, unas chicas francesas (ver) *viendo* videos, un chico finlandés (trabajar) *trabajando* con su tándem y un señor (buscar) *buscando* un diccionario de chino.

2. ◻ A Alfonso, de niño, le encantaba leer. Leía en la escuela, en el autobús, cuando iba a visitar a su abuelita y, lógicamente, en casa. Por la noche, en la cama antes de dormir, *leyendo* (leer).
   seguir

3. ◻ ¿Dónde estabas anoche?
   - En casa, *cenando* (cenar) con amigos. ¿Por qué lo preguntas?
   ◻ Es que tenía ganas de ir al cine o a tomar algo y te llamé.

4. ◻ ¿Ya has decidido a qué país te vas a estudiar el año que viene?
   - Me interesan los programas de intercambio de Ecuador y de Bolivia. En Ecuador conozco gente, pero en Bolivia puedo trabajar en el proyecto de la radio solidaria. No lo sé, todavía lo *pensando* (pensar).

5. ◻ Hombre Miguel, ¿qué tal? ¿ *siendo viniendo* (venir) a este bar?
   - ¡Sí! Pero a ti ya no te veo nunca por aquí...

2. De Madrid al cielo

Bob estuvo un año de Erasmus en Madrid y está escribiendo un relato sobre esa época. Completa con los verbos en la forma adecuada.

Memorias de un estudiante

Generalmente no (*levantarse*) _me levantaba_ muy tarde, (*ducharse*) _me duchaba_ y (*tomar*) _tomaba_ un café en el bar de la universidad antes de ir a clase. La primera (*empezar*) _empezaba_ a las diez de la mañana y (*ser*) _era_ de Derecho Internacional. Después (*tener*) _tenía_ otra de Derecho Comunitario. Eso los lunes. Los martes no (*tener*) _tenía_ clases: (*ir*) _iba_ a la biblioteca o (*estudiar*) _estudiaba_ con mi grupo de trabajo. En ese grupo (*haber*) _había_ tanto españoles como Erasmus. Me (*ayudar*) _ayudaban_ con los apuntes, me (*explicar*) _explicaban_ las cosas que no (*entender*) _entendía_ y a veces me (*corregir*) _corregían_ los ejercicios. Después (*comer*) _comíamos_ en la cafetería de la universidad. Ahora que lo pienso, nadie (*cocinar*) _cocinaba_ en casa aunque (*vivir*) _vivíamos_ en un piso compartido. A mí la comida me (*gustar*) _gustaba_ mucho porque no (*parecerse*) _se parecía_ en nada a la comida a la que (*estar*) _era_ acostumbrado. Además (*ser*) _estaba_ muy barata. Por las tardes, los martes y los viernes, (*ir*) _iba_ al polideportivo porque yo juego al fútbol y también me gusta nadar. El miércoles (*ser*) _era_ mi día preferido porque con otra chica holandesa, Lieve, (*ir*) _íbamos_ al Laboratorio de Lenguas. Nos (*encantar*) _encantaba_. Pero lo que más me (*gustar*) _gustaba_ (*ser*) _era_ cuando (*encontrarse*) _me encontraba_ con mi tándem.

Cuando (*tener*) _tenía_ tiempo me (*llevar*) _llevaba_ por la ciudad y me (*enseñar*) _enseñaba_ cafés y librerías que yo no (*conocer*) _conocía_. Yo le (*enseñar*) _enseñaba_ neerlandés porque algún día, siempre me (*contar*) _contaba_, (*querer*) _quería_ vivir en Utrecht. Creo que (*conocer*) _conocía_ a alguien que (*vivir*) _vivía_ allí. A mí me parece que (*estar*) _estaba_ enamorada pero nunca (*hablar*) _hablaba_ de eso. La verdad es que (*poner*) _ponía_ muchísimo interés y (*apuntar*) _apuntaba_ todo lo que yo le (*explicar*) _explicaba_.

Yo lo sé por experiencia: desde que vivo con Mariluz he aprendido muchísimo español. En realidad todos los días (*hacer*) _hacía_ más o menos lo mismo, pero nunca (*aburrirse*) _me aburría_. ¡Para mí todo (*ser*) _era_ nuevo! La gente, la universidad, la ciudad, la comida... Algunos fines de semana Mariluz y yo (*ir*) _íbamos_ a la sierra, (*caminar*) _caminábamos_ horas y horas, también (*visitar*) _visitábamos_ pueblos que (*haber*) _había_ cerca. Creo que nunca he disfrutado tanto en mi vida. Si un día podemos, seguro que volvemos a Madrid.

3. Internet: un antes y un después

A. Alberto Giménez recuerda en su blog cómo vivíamos sin usar internet.
Completa con los verbos en la forma adecuada.

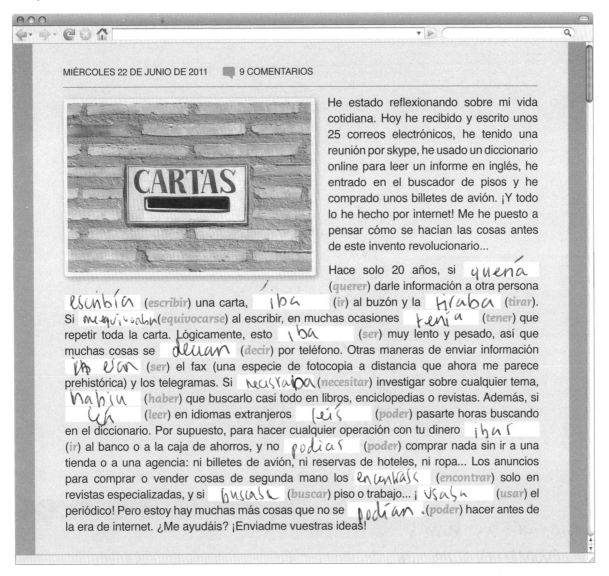

MIÉRCOLES 22 DE JUNIO DE 2011   💬 9 COMENTARIOS

He estado reflexionando sobre mi vida cotidiana. Hoy he recibido y escrito unos 25 correos electrónicos, he tenido una reunión por skype, he usado un diccionario online para leer un informe en inglés, he entrado en el buscador de pisos y he comprado unos billetes de avión. ¡Y todo lo he hecho por internet! Me he puesto a pensar cómo se hacían las cosas antes de este invento revolucionario...

Hace solo 20 años, si _quería_ (*querer*) darle información a otra persona _escribía_ (*escribir*) una carta, _iba_ (*ir*) al buzón y la _tiraba_ (*tirar*). Si _me equivocaba_ (*equivocarse*) al escribir, en muchas ocasiones _tenía_ (*tener*) que repetir toda la carta. Lógicamente, esto _iba_ (*ser*) muy lento y pesado, así que muchas cosas se _decían_ (*decir*) por teléfono. Otras maneras de enviar información _eran_ (*ser*) el fax (una especie de fotocopia a distancia que ahora me parece prehistórica) y los telegramas. Si _necesaba_ (*necesitar*) investigar sobre cualquier tema, _había_ (*haber*) que buscarlo casi todo en libros, enciclopedias o revistas. Además, si _leía_ (*leer*) en idiomas extranjeros _leís_ (*poder*) pasarte horas buscando en el diccionario. Por supuesto, para hacer cualquier operación con tu dinero _ibas_ (*ir*) al banco o a la caja de ahorros, y no _podías_ (*poder*) comprar nada sin ir a una tienda o a una agencia: ni billetes de avión, ni reservas de hoteles, ni ropa... Los anuncios para comprar o vender cosas de segunda mano los _encontrás_ (*encontrar*) solo en revistas especializadas, y si _buscase_ (*buscar*) piso o trabajo... ¡_usaba_ (*usar*) el periódico! Pero estoy hay muchas más cosas que no se _podían_ (*poder*) hacer antes de la era de internet. ¿Me ayudáis? ¡Enviadme vuestras ideas!

B. Envía un comentario al blog de Alberto.

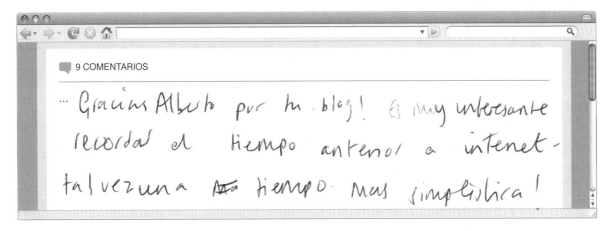

💬 9 COMENTARIOS

... Gracias Alberto por tu blog! Es muy interesante recordar el tiempo anterior a internet- tal vez una tiempo más simplística!

4. Los gustos cambian

A. Mira la tabla y completa las frases: ¿qué ha cambiado en Iñaki
y qué es lo que sigue siendo como antes?

	Iñaki, de niño	Iñaki, ahora
ser tímido	x	
tener el pelo rubio	x	
odiar el queso	x	x
comer muchas chucherías	x	x
encantarle el arroz de su madre	x	x
no gustarle el pimiento	x	

Antes...

Era _____ tímido.

Tenía _____ el pelo rubio.

~~Comía~~ odiaba _____ el queso.

Comía _____ muchas chucherías.

Le encantaba _____ el arroz de su madre.

No le gustaba _____ el pimiento.

> * seguir siendo + adjetivo
> * seguir Gerundio
> * seguir gustándole / encantándole... + Infinitivo

Ahora...

ya no es _____ tímido, le encanta estar con gente.

ya no tiene _____ el pelo rubio, lo tiene castaño oscuro.

sigue odiando _____ el queso.

sigue comiendo _____ muchas chucherías.

sigue encantando _____ el arroz de su madre.

sigue sin gustarle _____ el pimiento.

B. Haz una lista como la de Iñaki sobre ti mismo de niño y ahora.

	yo, de niño	yo, ahora
gustar los perros	x	x
Tener el pelo rubia	x	x
comer muchas salchichas	x	
no gustarle el café o alcohol	x	

C. Escribe un texto comparando tu yo de ahora y tu yo de la
infancia. Usa los recursos del lateral.

> * antes era..., pero ahora...
>   sin embargo, ahora...
>   no obstante ahora...
> * antes... y ahora sigo...
>   y aún sigo...
>   y todavía sigo...

Cuando yo era el niña, gustaba los perros
y ahora sigo, de hecho tengo mi propio.
Sigo teniendo el pelo rubio. Sin embargo ha
habido muchas coloras entre. No como nada como
ahora, sin embargo yo sigo encantan salchichas
y ahora, me gusta café y alcohol

5. Postales

Imagina para qué ocasiones están pensadas estas postales electrónicas y escribe un texto apropiado para cada una expresando un deseo para el destinatario.

⚠ Deseos:
· ¡Que + Subjuntivo…!

¡Que… _____

_____

_____

_____

6. ¿Sabes cocinar?

Lee estas recomendaciones para cocinar y añade otras con los elementos que ves o con otros.

1. *Las patatas, después de pelarlas, es mejor dejarlas en agua hasta el momento de cocerlas.*

2. *Es mejor* no aliñar la ensalada si quieres conservarla para el día siguiente. Si quieres hacer una salsa, *es recomendable* dejarla aparte.

3. Si quieres cocinar para mucha gente *es importante* recoger y limpiar primero la cocina: ¡es más cómodo!

4. *Algo importante al cocer la pasta es escurrirla y comerla enseguida.*

5. *Si quieres freír ajo, asegúrate de freír a baja temperatura porque se puede quemar facilmente.*

6. *Cuando vas al supermercado es fundamental que sabes lo que quieres cocinar para no que compras demasiado.*

✳
· Es recomendable / mejor /
  fundamental…
· Algo importante es…
· (No) Imperativo
· Si quieres… ,tienes
  que / puedes…

cocer la pasta	escurrir y comer enseguida
freír ajo	dejar muy poco tiempo porque se quema enseguida
ir al supermercado	saber qué vas a cocinar para no comprar demasiado

Si quieres hacer el mejor guacamole, tienes que agregar mucho limón y sal para mantenerlo fresco.

7. ¿Sabías que...?

A. Lee los titulares para ver si hay alguna costumbre o fiesta española o latinoamericana que ya conoces. Piensa en lo que sabes sobre los temas y escribe las palabras clave. Así podrás recordar mejor la información.

Costumbres variadas

Café

Según algunas estadísticas, cada español toma unas 600 tazas de café al año. En total se consumen unas 170 000 toneladas de café verde. El 58% se consume en casa y el 42% en cafeterías, bares, restaurantes y máquinas. Hay una gran variedad de formas de prepararlo y servirlo. Hay quienes lo prefieren largo o corto, americano o expreso, solo, cortado o con más o menos leche, con o sin azúcar, en taza o en vaso...

Mate

El mate es una yerba que se toma en infusión, como el té o el café. El nombre "mate" deriva de la palabra quechua "matí" que significa vaso o recipiente para beber. Pero el mate no es solo una bebida, sino una costumbre que se comparte en Argentina, Uruguay, Paraguay y el sur de Brasil. La expresión "tomar unos mates" tiene un componente social. Tomando mate se comparte un rato, se escucha al otro... Y cuando se conoce a alguien, se suele decir, "si querés, venite a casa y nos tomamos unos mates". Toman mate los viejos, los jóvenes, los modernos, los ejecutivos... Y ya han aparecido los cibermates, lugares donde se puede navegar por internet y además tomar mate.

Una costumbre chilena: tomar once

Si vas a Chile y allí alguien te invita a tomar once, eso significa que estás invitado a tomar el té o café con pancitos. Se sirve entre las 4 y las 7 de la tarde. "Once" es un código que usaban los hombres para ir a beber aguardiente porque la palabra "aguardiente" tiene 11 letras. Después, con el tiempo, la hora del té pasó a ser "la once".

El Día de San Martín

El 11 de noviembre, día de San Martín, comienzan las matanzas familiares del cerdo. De aquí viene el dicho popular "a todo cerdo le llega su San Martín", que significa que a todo el mundo que ha hecho algo mal le llega su castigo, tarde o temprano. La matanza es una fiesta con una larga tradición en Galicia y en muchas partes de España. Con la participación de los familiares y amigos, se mata un cerdo, se limpia, se corta y se prepara para su conservación. Todas las partes del animal se aprovechan para comer. Ese día se hace una comida, sobre todo a base de cerdo, claro.

El Día de los Muertos

Los días 1 y 2 de noviembre se celebra en México el Día de Muertos. Es una de las tradiciones que el pueblo mexicano conserva desde antes de la llegada de los españoles. Los familiares recuerdan a sus muertos con cariño, haciéndoles una ofrenda o llevando flores a su tumba. A las 8 de la tarde se encienden las velas porque es la hora de las ánimas. A la muerte la representan en caricaturas y "calaveras", que se comen en forma de figuras dulces o de pan. El ilustrador José Guadalupe Posada ridiculizó a la clase alta mexicana con una serie de dibujos de calaveras que hoy son muy famosos.

B. Simon acaba de llegar a Argentina y le escribe este correo electrónico a una amiga, pero ha cometido errores. Su amiga Paula ha leído la web "Costumbres variadas" y quiere corregir los errores de Simon. ¿Puedes escribir su respuesta?

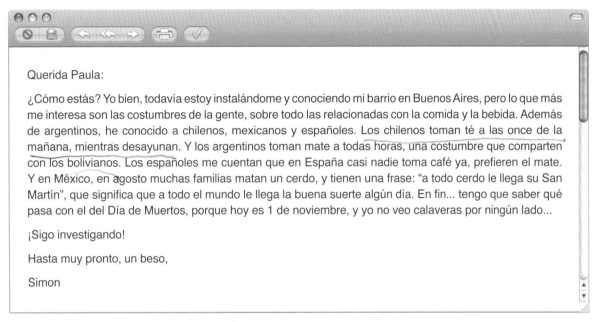

Querida Paula:

¿Cómo estás? Yo bien, todavía estoy instalándome y conociendo mi barrio en Buenos Aires, pero lo que más me interesa son las costumbres de la gente, sobre todo las relacionadas con la comida y la bebida. Además de argentinos, he conocido a chilenos, mexicanos y españoles. Los chilenos toman té a las once de la mañana, mientras desayunan. Y los argentinos toman mate a todas horas, una costumbre que comparten con los bolivianos. Los españoles me cuentan que en España casi nadie toma café ya, prefieren el mate. Y en México, en agosto muchas familias matan un cerdo, y tienen una frase: "a todo cerdo le llega su San Martín", que significa que a todo el mundo le llega la buena suerte algún día. En fin... tengo que saber qué pasa con el del Día de Muertos, porque hoy es 1 de noviembre, y yo no veo calaveras por ningún lado...

¡Sigo investigando!

Hasta muy pronto, un beso,

Simon

Hola Simon, ¿qué tal? Seguro que lo estás pasando muy bien, pero creo que te has hecho un lío con la información...

8. ¡A la mesa!

CD1
66-68

A. Escucha los hábitos a la hora de comer de estas personas y completa estos cuadros.

	persona 1	persona 2	persona 3
Dónde come:	a la mesa, en la casa	cafetería a la universidad	un bar cerca de oficina
Con quién come:	la familia	otros estudiantes	amigos / familia
Alimentos:	café, pan, vino, ensalada	sopa, ensalada, verdura, fruta y yogur	bocadillo + café.

B. Responde a las mismas cuestiones y explica tus costumbres para comer.

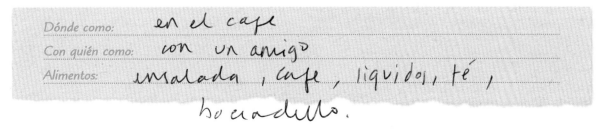

Dónde como: en el café

Con quién como: con un amigo

Alimentos: ensalada, café, liquidos, té, bocadillo.

9. ¡A cocinar!

A. Revisa la unidad y completa este cuadro con los alimentos que conoces de cada tipo.

carnes	pescados	verduras y hortalizas	frutas	lácteos (derivados de la leche)
cabrito, lares, cerdo, pollo, cordero	camarón, ceviche, mariscos	tomate, cebolla, ajo, patata, lechuga,	fresa, arándos, banana, manzana	leche, queso, yogurt.

B. Aquí tienes una serie de verbos que puedes utilizar para la cocina. ¿Los entiendes todos? Busca los que necesites en el diccionario.

boil *grill* *cut* *roast* *fry* *cut up* *throw* *mix* *in my oven*

hervir   cortar   asar   freir   trocear   echar   mezclar   hacer al horno

hacer a la plancha   aliñar   calentar   pelar   congelar   lavar

dress *heat* *peel* *freeze* *wash*

C. Con la ayuda de estos verbos, escribe una receta típica de tu país o de cualquier plato que te guste.

✱
· se + hierve(n) / corta(n)...

Mi receta:

10. Taller de palabras

A. Crea todas las palabras posibles combinando elementos de estos grupos. Comprueba con el diccionario que todas existen.

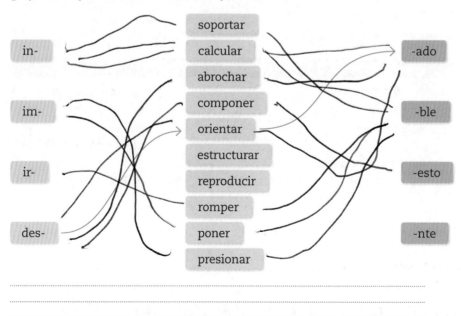

in-
im-
ir-
des-

soportar
calcular
abrochar
componer
orientar
estructurar
reproducir
romper
poner
presionar

-ado
-ble
-esto
-nte

B. ¿Sabes utilizarlas? Escribe un texto con al menos cinco de estas palabras.

Aquel día...

1. El amor lo cambia todo

A. La vida de Fernando era muy aburrida, pero un día se enamoró y todo cambió. Estas son frases de una carta que le escribe a su novia. Escribe los verbos entre paréntesis en Pretérito Imperfecto o en Pretérito Indefinido.

a. Antes de estar contigo (estar) _estaba_ deprimido, mi vida (ser) _era_ monótona y no (tener) _tenía_ sentido. Pero el día que te (conocer) _conocí_ (cambiar) _cambié_ completamente.

b. Cuando no te (conocer) _conocía_ (pensar) _pensaba_ que las historias de amor (ser) _eran_ una tontería o un invento, pero entonces (aparecer) _apareciste_ tú y (empezar) _empecé_ a verlo de otra forma. Ahora pienso en ti a todas horas y hasta te escribo cartas de amor.

c. Antes (ser) _era_ una persona poco sociable, solo (hablar) _hablaba_ con Sócrates, mi loro. Pero (llegar) _llegaste_ y me (enseñar) _enseñaste_ qué es la felicidad. Contigo (aprender) _aprendí_ a reírme de todos mis problemas. Mucho más: ¡ahora ya no tengo problemas!

B. Marca en las frases anteriores qué acciones interrumpen a otra acción o a una descripción de circunstancias y observa qué tiempo verbal has utilizado.

2. Momentos inolvidables

A. Haz una lista con los cinco acontecimientos mundiales más importantes de la última década.

Principales acontecimientos entre los años   y   .

B. Selecciona uno de esos cinco acontecimientos. ¿Recuerdas el momento de conocer la noticia? Completa esta tabla.

¿Qué estabas haciendo?	
¿Con quién estabas?	
¿Dónde estabas?	
¿Qué hiciste cuando conociste la noticia?	
¿Qué pasó después?	

⚙ En los relatos, los **marcadores temporales**, igual que los conectores, ayudan a **estructurar** y a **cohesionar** la narración. Escoge un texto, señálalos y observa cómo funcionan.

C. Ahora escríbelo en un relato. Fíjate en los tiempos verbales que necesitas. Puedes usar estos marcadores temporales.

el día que	entonces	cuando	luego	después

en ese momento	antes de	después de	de pronto

3. Un relato policíaco

Escribe la forma correcta del verbo en Pretérito Imperfecto o en Pretérito Indefinido. Observa cómo está construida la narración en la columna de la izquierda.

El famoso robo en la casa de los Erasmus

se empieza describiendo una situación

(ser) Era un domingo de agosto. No (haber) había nadie en el piso de los estudiantes Erasmus. Alessandra (estar) estaba en la biblioteca y Sandrine, a esa hora, estaba tomando una copa con unos amigos.

aparece la acción: lo que ocurrió esa noche

Esa noche Alessandra (llegar) llegó tarde a casa. (abrir) Abrió el portal, (subir) subió las escaleras y... ¿qué (ver) vió?

se describe la situación del piso: las circunstancias que rodean a la acción anterior

¡La puerta (estar) estaba abierta y el piso desordenado!

Alessandra (decidir) decidió llamar a la policía. Al día siguiente (venir) vino la detective Hurtado, que (examinar) examinó el piso y le (hacer) hizo muchas preguntas. Después, (bajar) bajó al primer piso para hablar con un vecino.

la acción avanza; Alessandra toma una decisión

El vecino del primero (ser) era un tipo raro. (vivir) vivía solo. (tener) Tenía un loro que se (llamar) llamaba Sócrates y a menudo (habla) hablaba con él. Le (contar) contaba sus cosas y el loro siempre lo (escuchar) escuchaba atentamente. No (saber) sabía muchas palabras. (poder) podía decir: ¡sí!, ¡no!, ¡hola!, y ¡Felipe, eres el mejor! En realidad Felipe –así (llamarse) se llamaba el vecino– no (necesitar) necesitaba nada más. La noche del robo los dos (estar) estaba en casa, como todas las noches.

se describe cómo era ese vecino: circunstancias

continúa la acción de esa noche

Después de hablar con Felipe, la Sra. Hurtado (subir) subió al tercero, al piso de la señora Dolores. (llamar) llamó dos o tres veces. Finalmente la señora Dolores (abrir) abrió la puerta, la (invitar) invitó a pasar y le (ofreció) ofreció una cerveza. La detective (decir) deció dijo que no y (empezar) empezó con las preguntas. La vecina le (contar) contó lo siguiente.

La noche del robo estaba mirando las noticias. (ser) _era_ más o menos las nueve. Todas las noches (mirar) _miraba_ las noticias y (cenar) _cenaba_ en casa. Nunca (salir) _salía_ de noche a la calle porque le (parecer) _parecía_ peligroso. Antes todo (ser) _era_ diferente: siempre (sentarse) _se sentaba_ en la calle las noches de verano a charlar con sus vecinos, nadie (cerrar) _cerraba_ las puertas ni las ventanas. Se (poder) _podía_ vivir tranquilo. El problema (ser) _era_ que la detective Hurtado no (tener) _tenía_ tiempo para charlar...

> la vecina explica las **circunstancias** que rodean a la acción que ella vio

4. ¿Qué pasó? ¿Cómo estaba el piso?

Este es el diálogo que tuvieron la detective Hurtado y Alessandra. Completa el diálogo con las formas del Imperfecto y del Indefinido adecuadas al contexto.

▫ Bien. Cuénteme dónde *estaba* la noche del robo.

■ En la biblioteca, estudiando. A las ocho menos cuarto (levantarse) _me levanté_, (tomar) _tomé_ mis cosas y (volver) _volví_ a casa con Sebastián.

▫ ¿Quién es Sebastián?

■ Uno de los chicos que comparte el piso conmigo.

▫ ¿(ir) _fueron_ directamente a casa? _fueron_   _compramos_

■ No. (pasar) _pasamos_ antes por el supermercado, (comprar) _compré_ algo para comer y...

▫ ¿Y después?

■ (entrar) _entramos_ al bar que está enfrente a tomar una cerveza.

▫ ¿Por qué no (subir) _subimos_ directamente al piso? _subieron_   _tenía_ _teníamos_

■ (ser) _era_ una noche estupenda, (hacer) _hacía_ calor, (tener) _tenía_ ganas de estar en la calle... ¿A usted no le gustan las noches de verano?

▫ Las preguntas las hago yo. ¿A qué hora (subir) _subieron_ al piso?

■ Más o menos a las diez.

▫ ¿Y entonces?

■ Cuando (llegar) _llegamos_, la puerta (estar) _estaba_ abierta, la luz encendida y todo muy desordenado

▫ ¿Y después? ¿Qué (hacer) _hicieron_?

■ Poner un poco de orden... Y así (darse) _nos dimos_ cuenta de que (faltar) _faltaban_ cosas. _faltaban_

▫ De acuerdo, dígame lo que (faltar) _faltaba_.

■ Pues dinero, una maleta la bicicleta de Sandrine.

▫ ¿Dónde (estar) _estaba_?

■ ¿Quién? ¿Sandrine?

▫ No, la bicicleta.

■ En el balcón, con la maleta, es que acabamos de cambiarnos de piso y...

▫ ¿Cuánto dinero (haber) _habría_? _había_

■ Unos 500 euros.

▫ ¿Y por qué (tener) _tenían_ tanto dinero en casa?

■ (querer) _queríamos_ hacer una fiesta.

▫ Bien, ¿puedo hablar ahora con la otra persona que vive en el piso?

5. Un argumento de película

A. Lee el resumen del argumento de la película *Diarios de motocicleta*. Vuelve a escribir el texto cambiando las formas verbales marcadas por otras en Pretérito Imperfecto o Pretérito Indefinido.

Ernesto Guevara y Alberto Granado tienen un plan: viajar por América Latina durante un largo periodo de tiempo. Los dos amigos dejan Buenos Aires en una antigua motocicleta Norton de 500 cc del año 1939, «La poderosa». La moto se rompe, pero los viajeros continúan en autostop. Poco a poco, a través de las personas que encuentran en su viaje, van tomando contacto con una Latinoamérica desconocida para ellos. Su ruta los lleva hasta Machu Pichu, donde las majestuosas ruinas y la extraordinaria presencia de la cultura incaica los impresionan profundamente. Cuando llegan a San Pablo, un lugar en la selva amazónica donde había un asilo de leprosos, se quedan, ayudan a tratarlos y pasan un tiempo con ellos. En ese momento los dos viajeros comienzan a cuestionar el valor del progreso tal como lo definían algunos sistemas económicos. Sus experiencias en el trabajo con los leprosos despiertan en ellos a los hombres que iban a ser en el futuro. Allí se define el camino ético y político de sus vidas.

> ⚙ Recuerda que no siempre que se habla del pasado se utilizan los tiempos verbales del pasado.
> El **Presente Histórico** se usa habitualmente en textos históricos, biografías, argumentos de obras de ficción, anécdotas...

B. Cuenta una anécdota a otra persona usando el tiempo Presente.

> ● Pues resulta que el otro día va y me encuentro a...

6. Pasaporte lingüístico

Lee el pasaporte lingüístico de Valentina. Luego, completa el texto con las palabras de las cajitas.

Experiencias lingüísticas y culturales

Estudios:
cursando Filología Hispánica (Hispanistik/ Lateinamerikanistik), Universität Potsdam (inicio: 2007)

Aprendizaje autónomo:
tándem, cursos 2009-2010 y 2010-2011

Estancias en el extranjero:
vacaciones en Málaga (España), veranos 2005-2007

Prácticas:
Escuela de Español Sancho Panza (Berlín), mayo-julio 2011

Otros:
au pair para una familia Colombiana (agosto 2011), cursos en academia de español ¡Vamos! (2006-2007)

Certificados y diplomas
Diploma de Español como Lengua Extranjera (DELE), A2

Apellido:
Conku
Nombre:
Valentina
Lengua materna:
alemán
Otras lenguas:
español, inglés, francés, italiano

desde... hasta	desde que	desde hace	hace... que	desde	entre	hace

15 de agosto de 2011

Mi nombre es Valentina Conku y soy de Esslingen, Alemania. Vivo en Berlín *desde hace* tres años. *Entre los* los años 2006 y 2007 fui a clases de español en mi ciudad, Esslingen. Ahora estudio Filología Hispánica en la Universidad de Potsdam *desde* el año 2007, es decir que *hace* varios años *que* estudio español. Además, _____ dos años estuve de vacaciones en Málaga, Andalucía, y ahora estoy trabajando de *au pair* en casa de una familia colombiana que vive en Berlín. *Desde que* trabajo allí, practico mucho español. También hice tres meses de prácticas en la escuela Sancho Panza de Berlín, ayudando a la jefa de estudios en la organización de los cursos. *Hace* dos años *que* tengo un tándem: es una profesora argentina que quiere aprender alemán. *Desde que* escucho tantos acentos y dialectos (el castellano de Argentina, de Colombia, de España...) estoy aprendiendo mucho más, pero a veces también me confundo. Quizá el próximo verano voy a ir a Tenerife: unos amigos de la familia colombiana me preguntaron si quería cuidar a sus hijos durante las vacaciones, *hasta* julio *hasta* septiembre. Pero todavía no sé si voy a ir porque es mucho trabajo, mucho tiempo y no está muy bien pagado. Prefiero trabajar en Berlín, ahorrar dinero y visitar a mi familia: ¡ *hace* mucho tiempo que no la veo!

7. ¿Por ella o para ella?

En estas flechas hay algunas formas de usar **por** y **para**. Escribe al lado de cada una el número de las frases en las que se usa **por** o **para** de esta forma.

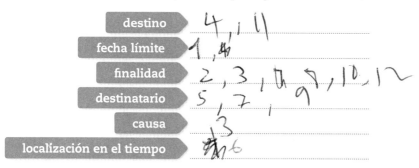

destino → 4, 11
fecha límite → 1, 4
finalidad → 2, 3, 8, 9, 10, 12
destinatario → 5, 7, 9
causa → 13
localización en el tiempo → 8, 6

> ⚙ **Por** y **para** tienen muchos usos diferentes; observa cuáles son los que te crean más dificultades y "aíslalos".

1. ¿Para cuándo es esta entrega?

2. En los Andes la mujer tiene que ser fuerte para trabajar en el campo.

3. Tanto el varón como la mujer tienen que demostrar buenas cualidades para vivir juntos y formar una familia.

4. Nos vamos para la playa, ¿vienes?

5. Para mí un cortado, por favor.

6. Mañana no puedo ir: por la mañana tengo clase y por la tarde trabajo en la tienda.

7. Oye, no nos olvidemos de comprar zumo para Macarena, que no toma alcohol.

8. Pasaré por casa para recoger las entradas antes de encontrarnos en el teatro.

9. Si el Sirvinacuy fracasa, las consecuencias negativas son para la mujer.

10. Añade información más detallada para mejorar tu texto.

11. Los autobuses para todas las regiones del país salen de la estación central.

12. Lleva cuatro años preparándose para participar en los Juegos Olímpicos.

13. Enrique no se ha ido de vacaciones por su madre.

8. Sor Juana Inés de la Cruz

pretérito indicativo.

A. Lee este texto y observa el tiempo verbal en que está escrito.
¿Qué tipo de texto es? ¿En qué otro tiempo verbal podría estar escrito?

B. Escribe en cada párrafo las preposiciones que faltan.

SOR JUANA INÉS DE LA CRUZ (1651–1695). ESCRITORA MEXICANA.

Juana Inés de Asbaje y Ramírez nació _en_ un pueblo del valle de México, San Miguel de Nepantla, el 12 de noviembre de 1651. Fue hija _de_ madre mexicana y _____ padre vasco. Es reconocida como la mayor figura de las letras hispanoamericanas del siglo XVII.

| de |
| en |

De niña aprendió náhuatl con sus vecinos. A los tres años sabía leer y escribir y a los ocho escribió su primer poema. Descubrió la biblioteca _de_ su abuelo y así empezó a <u>interesarse por</u> los libros. Aprendió todo lo que era conocido en su época: leyó a los clásicos griegos y romanos y la teología del momento y aprendió latín como autodidacta escuchando las clases que recibía su hermana. Admirada _por_ su talento, a los catorce años fue dama de honor de Leonor Carreto, esposa del virrey Antonio Sebastián de Toledo y brilló _en_ la corte virreinal de la Nueva España _por_ sus amplios conocimientos y _por_ su habilidad escribiendo versos.

| por |
| de |
| en |

Quiso ir a la universidad, incluso <u>pensó en</u> vestirse de hombre _para_ poder estudiar y desarrollar sus intereses intelectuales, pero finalmente decidió que lo más fácil era hacerse monja. Aunque ya era famosa y admirada, en 1667 entró _en_ un convento y fue monja durante toda su vida.

| en |
| para |

Su celda <u>se convirtió en</u> punto de reunión _de_ poetas e intelectuales. Allí realizó experimentos científicos, reunió una gran biblioteca, compuso obras musicales y escribió una extensa obra que contenía diferentes géneros, _desde_ la poesía y el teatro _hasta_ tratados filosóficos y estudios musicales. También fue administradora del convento.

| hasta |
| desde |
| para |

A pesar de las críticas recibidas _por_ la Iglesia, la poetisa siempre defendió el trabajo intelectual de las mujeres. Pero poco antes de su muerte, ya _en_ la época de la Santa Inquisición, la Iglesia la <u>obligó a</u> <u>deshacerse de</u> su biblioteca y de su colección de instrumentos musicales y científicos. Sor Juana Inés de la Cruz murió _por_ una epidemia el 17 de abril de 1695, a los cuarenta y tres años.

| en |
| desde |
| por |

C. Observa las partes del texto marcadas en verde y tradúcelas a tu lengua.
¿Has usado preposiciones en todos los casos?

D. Los verbos y preposiciones subrayados suelen usarse juntos en casi todos los contextos.
Ponlos en una lista y añade otros verbos con preposición que ya conoces.

E. Rellena esta ficha de lectura. Luego, cuéntale a otra persona quién era
Sor Juana Inés de la Cruz.

Nombre y apellido: _Juana Inés de la Cruz._

Fecha y lugar de nacimiento: _12 Noviembre 1651 , San Miguel de Nepantla. Mex_

Características que destacan:

Profesión y razones para escogerla:

Actividades laborales: _Poetisa._

Tipo de escritos: _Mexicana. - Poetisa._

Problemas con la Iglesia: _Defiende el trabajo intelectual de las mujeres._

Fecha de muerte: _17 Abril 1695._

9. Amor a primera vista

A. Rafa nos cuenta el día en que conoció a su mujer. Lee el texto y termina la historia.

Yo conocí a Sandra, mi mujer, cuando <u>estaba estudiando</u> en la universidad, hace más de diez años. Yo estaba en el bar de la facultad de Filosofía (en realidad no estudiaba Filosofía, pero el bar de esa facultad era el que más me gustaba porque allí podía leer a mis autores favoritos sin interrupciones) y vi que Sandra me miraba desde su mesa, en la otra punta del bar. Ella <u>estaba sonriéndome</u> y cuando yo le sonreí, ella me guiñó un ojo. Estaba preciosa y yo me puse muy nervioso: me pregunté si no era una broma. Poco después, yo <u>estaba intentando</u> volver a leer mi libro cuando su voz me interrumpió: "¿estás <u>estudiando</u> aquí?" me dijo. Yo le dije que no, que solo estaba allí por el silencio y por la tranquilidad del bar. "¿Has venido para leer más concentrado?" Le dije que sí. "¿Y lo <u>estás consiguiendo</u>?" Le dije que no, y que ella tenía la culpa. "Lo siento, ¿cómo lo puedo arreglar?" me dijo Sandra. Y entonces...

B. Fíjate en las estructuras marcadas (**estar** + Gerundio). ¿Cuáles hablan de una situación
habitual en el pasado y cuáles hablan de una situación que ocurre en el momento del que se habla?

C. ¿Recuerdas el día en que conociste a tu pareja o a un amigo?
¿Qué estabas haciendo en ese momento? Escríbelo en un relato.

10. La vida de Carolina

CD1
69

Escucha de nuevo a Carolina explicando sus experiencias y completa este texto
con verbos o sustantivos.

En el instituto, Carolina formó parte de un grupo de ___circo___ en el que aprendió ___malabares___,
___monociclo___ y a ___equilibrios___. Luego se fue a ___Bilbao___, donde se aficionó al ___surf___. Y es que
en las playas de Vizcaya hay unas ___playas___ magníficas. Ya en El Cairo ___aprendió___ a ___volar___ en
parapente. En Egipto ___vivió___ un año. Ahora ya ha acabado la carrera, lo ___aprobó___ todo con buenas
notas. No ha cogido un ___libro___ en todo el verano.

11. Silencio, se rueda

A. ¿Qué géneros cinematográficos conoces? Escríbelos en una lista.

Géneros cinematográficos

B. Completa esta ficha con alguna película que conozcas o invéntate una.

Título:

Género:

Personajes:

Actores:

Argumento:

C. Describe físicamente al protagonista de esta película usando estos adjetivos y otros que necesites.

rubio	azules	bajo	bigote	delgado	mayor	gafas	rizado
largo	barba	calvo	liso	marrones	pelirrojo	gordito	moreno
castaño	verdes	joven	negros	andulado	alto	corto

D. ¿Qué opina la crítica de esa película? Aquí tienes una serie de expresiones para dar opiniones sobre una película. Elabora, con ellas, tu propia crítica.

obra maestra	película de culto	un clásico	terrorífica	horrible	sublime
estupenda	soberbia	preciosa	divertida	entretenida	aburrida
apasionante	un despropósito	prescindible	imprescindible

Haciendo memoria

1. Busco habitación

A. Ken busca piso en Santiago de Compostela. Lee su anuncio y marca los verbos correctos.

¡Hola! Estoy buscando habitación en un piso que ~~es~~ / **sea** luminoso y **tenga** / ~~tiene~~ balcón o terraza. No tiene que ser céntrico. Prefiero que ~~está~~ / **esté** cerca de la universidad para poder ir caminando. El piso que tengo ahora no me gusta porque ~~es~~ / **sea** caro y no tiene mucha luz. Me gustaría compartirlo con una persona que también **estudie** / ~~estudia~~, pero lo que más me interesa es que esa persona ~~es~~ / **sea** de América Latina o de España, porque lo que yo ~~quiero~~ / **quiera** es hablar en castellano ¡Ahora **vivo** / ~~viva~~ con un alemán y solo **hablamos** / ~~hablemos~~ inglés!

Interesados: llamar al 627532835.

B. Anota estas informaciones sobre lo que acabas de leer. ¿Con qué tiempo verbal están escritas en el anuncio?

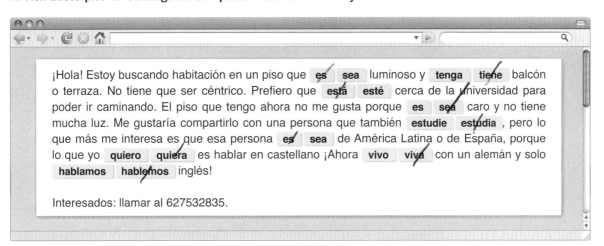

Características de su piso actual	Características de su piso futuro
es caro no tiene mucha luz	sea luminoso tenga balcón/terraza. esté cerca de la universidad
Características de su compañero actual	**Características de su compañero futuro**
es alemán y solo hablamos inglés.	hablen castellano. estudie sea de España

2. Un posible trabajo para Pilar

Completa esta conversación telefónica.

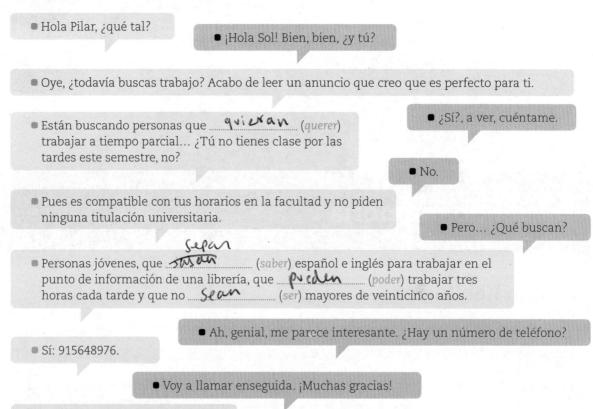

- Hola Pilar, ¿qué tal?

- ¡Hola Sol! Bien, bien, ¿y tú?

- Oye, ¿todavía buscas trabajo? Acabo de leer un anuncio que creo que es perfecto para ti.

- ¿Sí?, a ver, cuéntame.

- Están buscando personas que _quieran_ (querer) trabajar a tiempo parcial... ¿Tú no tienes clase por las tardes este semestre, no?

- No.

- Pues es compatible con tus horarios en la facultad y no piden ninguna titulación universitaria.

- Pero... ¿Qué buscan?

- Personas jóvenes, que _sepan_ (saber) español e inglés para trabajar en el punto de información de una librería, que _pueden_ (poder) trabajar tres horas cada tarde y que no _sean_ (ser) mayores de veinticinco años.

- Ah, genial, me parece interesante. ¿Hay un número de teléfono?

- Sí: 915648976.

- Voy a llamar enseguida. ¡Muchas gracias!

- De nada. ¡Que tengas suerte!

3. ¿Subjuntivo, Indicativo o Infinitivo?

Marca la opción correcta.

1. Valentina busca piso cerca de la universidad. Tiene que **ser** **sea** luminoso, no muy caro y estar bien comunicado.

2. Estas vacaciones quiero **ir** **vaya** a América Latina y quiero que tú **venir** **vengas** conmigo.

3. ¿Tienes ganas de que **vamos** **vayamos** al concierto de Manu Chau? Yo tengo muchísimas ganas de que **vamos** **vayamos** juntas.

4. Recuerda que es muy importante que **haces** **hagas** bien este examen. Si lo **haces** **hagas** bien, voy a hacerte un regalo.

5. - ¿Es importante **rellenar** **rellene** todos estos formularios?
   - Claro, es necesario que los **rellenes** **rellenas** **rellenar** todos.

6. Si necesitas algo, **dímelo** **que me lo digas** **lo décir**.

7. Necesitamos **hablar** **hablemos** con nuestra tutora porque acaban de decirnos que es necesario **ir** **vayamos** a la reunión de información y yo hoy tengo mucho que hacer.

8. Te aconsejo que **buscas** **busques** una compañera de piso que **habla** **hable** español. Si **habláis** **habléis** en inglés, nunca vas a aprender español.

4. Consejos del sabelotodo

A. ¿Sabes qué quiere decir **ser un sabelotodo** y **ser un mandón**? Si no lo sabes, búscalo en un diccionario y explica qué cosas hacen uno y el otro.

[nota manuscrita: un sabelotodo es una persona que cree saberlo todo y piensa que sabe más. Un mandón es una persona que siempre que dice que hace]

B. Completa las frases que hablan sobre un sabelotodo y sobre una mandona.

1. La chicas quieren hacer un viaje a Perú. Juan, el sabelotodo, les recomienda que (*llevar*) **lleven** siempre buenos mapas, que (*aprender*) **aprendan** algunas palabras en quechua, que (*cambiar*) **cambien** dinero antes y que (*hacer*) **hagan** reservas en hoteles baratos.

2. Según Juan, el sabelotodo, para aprender bien una lengua es necesario que (*tú, leer*) **leas** el periódico todos los días y que (*tú, hacer*) **hagas** una lista de las palabras nuevas, que (*tú, mirar*) **mires** televisión o que (*tú, ir*) **vayas** a ver películas y que (*tú, escuchar*) **escuches** canciones o programas de radio, que (*tú, buscar*) **busces** personas con quienes hablar y practicar, que (*tú, viajar*) **viajes** a un país donde se hable esa lengua. Ah, y también que te (*tú, comprar*) **compres** un buen diccionario.

3. La madre de Jaimito es un poco mandona y todas las tardes le pide a su hijo que (*hacer*) **haga** muchas cosas. Hoy quiere que (*ir*) **vaya** al supermercado y (*comprar*) **compre** aceite y un paquete de arroz, que (*ordenar*) **ordene** su habitación y que (*hacer*) **haga** los deberes antes de ponerse a ver los dibujos. Pero también quiere que (*merendar*) **merende** porque si no empieza a comer chucherías antes de cenar...

[nota manuscrita: meriende.]

5. ¿Qué había pasado antes?

A. Lee la historia de Isabel y Javier y completa las frases.

Fines de 1990	Isabel y Javier se conocen en una fiesta.
1991	Se enamoran y empiezan a salir.
1992	Se casan y se van a vivir a Estocolmo.
1993	Nace la primera hija: Sophie.
1994	A Isabel le ofrecen un puesto de trabajo en Barcelona y deciden volver.
1995	Javier no encuentra trabajo y empiezan los problemas.
1996	Isabel se queda embarazada otra vez, pero su relación no va bien.
1997	Javier vuelve a Estocolmo porque le dan un puesto en la universidad.
1998	Isabel va a visitar a Javier. En el avión conoce a Olaf...

1. Cuando se fueron a vivir a Estocolmo, Sophie todavía no _____.

2. Un año después del nacimiento de Sophie, Isabel y Javier volvieron a Barcelona porque a Isabel le _____ un trabajo.

3. Como Javier no tenía trabajo en Barcelona y la relación no iba bien, decidió volver a Estocolmo, donde le _____ un puesto de profesor en una universidad.

4. Cuando Isabel volvió a Estocolmo ya estaba enamorada de Olaf. Lo _____ en el avión cuando iba a visitar a Javier.

B. Escribe cuatro frases más hablando de otros momentos de su vida juntos.

En 1992, Isabel y Javier se casaron. Se habían conocido en una fiesta.

6. Mundeta

Mundeta, la joven protagonista de *Ramona, adiós,* cuenta en primera persona lo que pasó cuando le dijo a su madre que quería irse de casa. Escribe los verbos en Pretérito Indefinido y Pluscuamperfecto y termina el relato con lo que crees que pasó.

Esa mañana mi madre entró en mi habitación gritando. Pensaba que no _había dormido_ (dormir) en casa, cuando yo, en realidad, acababa de despertarme. Se lo _explique_ (explicar), pero ella no quería entender. Y para peor, la abuela también _comezo_ (comenzar) a opinar. Ya sabes que mi abuela es muy católica y que se pasa horas y horas rezando el rosario y no me deja dormir. Mi madre no hacía otra cosa que protestar, diciendo que la universidad me _había cambiando_ (cambiar), que ya no era la misma. Yo intenté contarles que quería irme de casa por unos días, pero no había manera.

Mi abuela tenía miedo. Me _pregunto_ (preguntar) si yo _había hecho_ (hacer) algo feo, que es su manera de saber si yo estaba embarazada. Yo _seguí_ (seguir) insistiendo, pero no había forma de convencer a mi madre, no quería escucharme y solamente repetía que había que esperar a mi padre. Finalmente, no _pude_ (poder) hacer otra que explicarles la verdad. Ya no tenía ganas de escuchar todo lo que _habían hecho_ (hacer) por mí, que si me _habían comprado_ (comprar) todos los vestidos que quería, que si me _habían mandado_ (mandar) a Inglaterra a estudiar... Así fue que les _dije_ (decir) simplemente que tenía que irme porque la policía podía venir a buscarme. *Mi madre y mi abuela...*

no entiendo mas?

O

⚙
Para redactar textos ricos e interesantes, una buena opción es añadir matices a lo que expresan los verbos usando otro verbo en **Gerundio** (**entró gritando**) o bien un **adverbio** (**entró tranquilamente**).

7. ¿Cuándo suceden estos acontecimientos?

A. Elige la forma correcta del verbo.

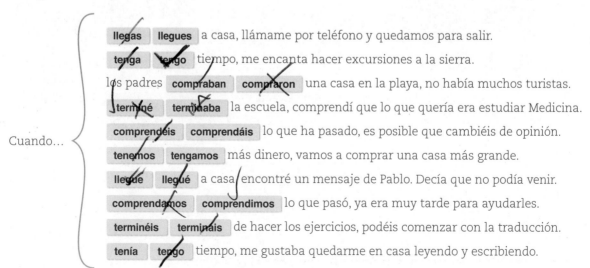

Cuando...

~~llegas~~ llegues a casa, llámame por teléfono y quedamos para salir.

tenga ~~tengo~~ tiempo, me encanta hacer excursiones a la sierra.

los padres compraban ~~compraron~~ una casa en la playa, no había muchos turistas.

~~terminé~~ terminaba la escuela, comprendí que lo que quería era estudiar Medicina.

comprendéis ~~comprendáis~~ lo que ha pasado, es posible que cambiéis de opinión.

tenemos ~~tengamos~~ más dinero, vamos a comprar una casa más grande.

~~llegue~~ llegué a casa encontré un mensaje de Pablo. Decía que no podía venir.

comprendamos comprendimos lo que pasó, ya era muy tarde para ayudarles.

terminéis ~~termináis~~ de hacer los ejercicios, podéis comenzar con la traducción.

tenía ~~tengo~~ tiempo, me gustaba quedarme en casa leyendo y escribiendo.

B. Rellena esta tabla con las frases del apartado anterior. A qué momento
se refiere la palabra **cuando**: ¿ya ha sucedido o todavía no?

ya ha sucedido	todavía no ha sucedido
Cuando tengo tiempo	Cuando llegues a casa...
Cuando los padres compraron ~~compraban~~	~~Cuando los padres compraban terminan.~~
Cuando terminaba.	~~Cuando~~
Cuando llega	Cuando comprendáis.
Cuando comprendamos,	Cuando tengamos
Cuando tenía	~~Cuando llegue~~ Cuando terminéis.

8. Valentina en Antigua

A. Completa con una forma adecuada del verbo (Pretérito Perfecto, Pretérito Imperfecto
y Pretérito Pluscuamperfecto). Para escogerla, ten en cuenta cómo son las acciones.

1. Acciones sucedidas una vez en el pasado. *Pretérito perfecto / Indefinido*

2. Acciones pasadas anteriores a otras acciones pasadas. *Pluscuamperfecto (había)*

3. Acciones habituales en el pasado. *Imperfecto (aba)*

Este año Valentina (hacer) **ha hecho** un curso de español en Antigua, Guatemala. Le (parecer) **ha parecido** muy interesante porque no solo (aprender) **ha aprendido** gramática sino muchas cosas sobre el país. Además (conocer) **ha conocido** muchísima gente de otros países. Nunca (estar) **había estado** en América Latina. Piensa volver el verano que viene. Me lo (decir) **ha dicho** hoy.

Para ella, un día normal durante el curso era así: (levantarse) **se levantaba** temprano, a eso de las ocho. (desayunar) **Desayunaba** y (tomar) **tomaba** el autobús que la (llevar) **llevaba** a la escuela. Las clases (empezar) **empezaban** a las 9.30. La profesora (traer) **traía** el periódico y les (leer) **leía** las noticias del día y las comentaban. Libros no tenía, pero sí una gramática que le (regalar) **había regalado** Fernando en el aeropuerto. En la primera página (decir) **decía** : "Para Valentina, para que mientras estudies, pienses en mí". Pero entonces, Valentina todavía no (decidir) **había decidido** si seguir con Fernando o no...

La profesora (hablar) **hablaba** un castellano muy claro y lento y por eso Valentina (comprender) **comprendía** todo lo que (decir) **decía** . Sus primeras clases de español, en cambio, (ser) **habían sido** totalmente diferentes: su profesora (creer) **creía** que se (aprender) **aprendía** escribiendo y por eso (tener) **tenía** que escribir todos los días textos larguísimos sobre temas que no le (interesar) **interesaban**.

B. Busca en el texto los pronombres de Objeto Directo y de Objeto Indirecto
y explica a qué se refieren.

9. Noticias curiosas

A. Entre las siguientes noticias hay una que es falsa. ¿Sabrías decir cuál es?

La Urbana de Barcelona denuncia a una persona cada dos días por ir desnuda o semidesnuda

La Guardia Urbana de Barcelona ha denunciado a 37 personas por ir desnudas o semidesnudas por las calles de Barcelona desde que entró en vigor la ordenanza municipal el 29 de mayo de este año, han informado fuentes municipales. [...] Se sanciona a quien se niega a vestirse tras un aviso de la Guardia Urbana: de 300 a 500 euros para los desnudos o "casi desnudos", y de 120 a 300 para los semidesnudos: solo en bañador o "con otra pieza de ropa similar". Las multas son más altas que las aplicadas a un conductor que pasa un semáforo en rojo, aunque no se aplican en las calles contiguas a la playa.

EP. 02.08.2011 - 20 minutos

Crean un papel higiénico exclusivo para la visita del Papa Benedicto XVI a España

La marca de papel higiénico Renova ha puesto a la venta una edición exclusiva de este producto para conmemorar la visita de Benedicto XVI a España [...] dentro de dos semanas para la Jornada Mundial de la Juventud (JMJ).

El paquete está conformado por dos rollos de papel higiénico con los colores de la bandera vaticana, amarillo y blanco, de tres capas y con aroma.

En el envoltorio, un estuche [...] diseñado para la ocasión, aparece el mensaje "Yo amo al Papa".

La empresa propone, en su página web, utilizar estos rollos como serpentinas gigantes al paso de Benedicto XVI, aunque no se descarta que pueda ser utilizado para su "uso habitual", ya que la empresa fabricante informa que cada rollo tiene una vida de 140 servicios y el papel está dermatológicamente testado.

EP. 02.08.2011 - 20 minutos

CADA CROMO INCLUYE UNA FICHA POLICIAL RESUMIDA

Una editorial lanza cromos de los delincuentes más buscados

Según el portavoz de prensa de la editorial, la iniciativa busca contentar tanto a los niños como a los padres "porque permite que, a la diversión de siempre, se añada la conciencia ciudadana haciendo que los niños se familiaricen con las caras de violadores, terroristas y atracadores para denunciarles si se los encuentran". Cada cromo incluye un perfil del malhechor con su ficha policial resumida.

Para la realización del álbum se ha contado con la colaboración de la Policía Nacional, partidaria de que "los rostros de los delincuentes más buscados circulen entre la gente". Sin embargo, se han recibido quejas de varias asociaciones de padres y profesores, que temen que los criminales sean vistos como ídolos a imitar.

21.07.2011 - El mundo today

B. Escribe tu opinión sobre estas noticias usando los siguientes recursos.

| a mí (no) me gusta que... | (no) es lógico que... | es absurdo que... |

| es maravilloso que... | es natural que... | es horrible que... | es muy raro que... |

| es increíble que... | me parece bien / mal que... | ... |

La Urbana de Barcelona denuncia a una persona cada dos días por ir desnuda o semidesnuda

A mi, no me gusta que la urbana de Barcelona haga cumplir esta regla, es natural que este desnuda, especialmente en verano.

Crean un papel higiénico exclusivo para la visita del Papa Benedicto XVI a España

Para mi, es absurdo que el papa tenga su propio papel, porque todos hombres son iguales.

Una editorial lanza cromos de los delincuentes más buscados

me parece mal que

> ⚠️ En las **opiniones** y **valoraciones**, tanto si son positivas como negativas, usamos el **Subjuntivo**:
> · (No) Es lógico que el gobierno suba los impuestos.

10. Las líneas de Nazca

🔘 **CD1 80** Escucha otra vez la entrevista a Arturo Esteban sobre las líneas de Nazca. Escribe frases diciendo si las siguientes informaciones son ciertas o no.

1. Los dibujos están en las Pampas de Jumana, cerca del desierto de Nazca, en el Perú.

   No es cierto que los dibujos estén en las Pampas de Jumana.

2. Los dibujos los hicieron personas de la cultura Nazca.

   (No) Es cierto que los dibujos ~~~~ hagan ~~de la~~ de la personas Nazca.

3. Los dibujos son profundos, y se mantienen a lo largo de los siglos porque la zona en la que se encuentra es de las más secas del mundo.

   (No) Es cierto que los dibujos estén en la parte mas seca del mundo

4. En origen, los dibujos eran claramente ofrendas religiosas de alimentos y de animales.

   (No) Es cierto que los dibujos estén ofrendas religiosas.

5. Las líneas de Nazca solo se ven desde lejos, sobre todo desde el aire, a unos 200 metros de altura.

   (No) Es cierto que ~~los dit~~ las líneas solo se vean desde lejos

11. ¿Profesión u objeto?

A. Coloca en la casilla correspondiente estas palabras con sufijo **-era** o **-ero** con su artículo.

| billetera | camarero | cenicero | cero | cocinero | banquera | cuero |

| enero | ensaladera | maletero | obrera | papeleras |

profesión	objeto	otros
	la billetera	

B. Añade a la tabla la palabra sin el sufijo. ¿Existe en todos los casos?

la billetera ⟶ el billete

C. Contesta a la pregunta con la ayuda de los sufijos del apartado A.

¿Cómo se llama la persona que se ocupa de...

el jardín? ....

las cartas? ....

los enfermos? ....

los niños? ....

el reloj? ....

un reportaje? ....

los zapatos? ....

D. Ahora, escribe una historia utilizando al menos siete palabras con los sufijos **-era** o **-ero**.

NOVELA EN 7 CAPÍTULOS / LOURDES MIQUEL

Entre dos mundos

Capítulo 1 Olvidar, irse

En algún sitio había leído que para superar el dolor de un amor fracasado se tenía que aprender una lengua extranjera o hacer un viaje. Y Elsa acababa de decidir lo segundo.

Unos meses antes, el día que terminó la carrera, también terminó su relación con Eduardo, al que había conocido el primer día de la universidad... Cinco años de relación y, de repente, inesperadamente, Eduardo dijo que no podía seguir, que quería estar solo para pensarse su vida. En la puerta de la Facultad de Arquitectura, Elsa se encontró con las notas finales de su carrera, con su título de licenciada, y con el principio de la vida sin Eduardo.

Durante muchas semanas, Elsa no sintió la alegría de ser la arquitecta que siempre había querido ser, sino que solo pensaba en Eduardo, sufriendo el dolor de la pérdida del gran amor de su juventud y sin lograr imaginar el futuro sin él.

Hasta que una tarde de julio, la llamó su abuela y la invitó a merendar en su casa. Para Elsa, su abuela Mercedes era una de las personas más importantes de su vida. Era una mujer no muy alta, de pelo blanco, muy elegante y tremendamente positiva y optimista, llena de pasión por la vida, dispuesta siempre a disfrutar. Le gustaba comer bien, beber buenos vinos, fumar algún cigarrillo de vez en cuando a escondidas de sus hijos y tomar un vaso de buen güisqui a las ocho en punto de la tarde. Pero lo que más le gustaba en la vida era hablar con sus nietos y reírse. Y nunca hablaba de cosas tristes. Por eso, a sus nietos nunca les había hablado de la Guerra Civil, ni de cómo su familia había estado dividida en los dos bandos de la guerra, ni de su hermano muerto, ni del exilio de parte de los suyos, ni de los problemas que todos tuvieron en la posguerra...

—Así que estás triste porque Eduardo te ha dejado... —le dijo la abuela a Elsa mientras se servía una taza de café y un trozo del pastel de chocolate que había hecho Norma, la chica ecuatoriana que la cuidaba.

—Sí, abuela, tristísima.

—Y eso, angelito —la abuela siempre la llamaba "angelito"— es normal... ¿Pero cuánto va a durar esta tristeza? ¿Vas a desaprovechar todo este tiempo por un hombre... Bueno, no sé si decir un "hombre" o un "muchacho" inmaduro... En fin, ¿vas a desaprovecharlo todo por un tipo inestable e inseguro que no sabe lo que quiere...? Tienes mucha vida por delante, Elsa. Toda la vida por delante. Olvídalo. Hay muchos hombres en el mundo. Viaja. Vete lejos. Conoce mundo. Pon tierra por medio[1]... Y también puedes poner "mar"... ¿No te gustaría estudiar fuera? No sé..., en México, por ejemplo.

¿México? ¿Cómo se le había ocurrido eso a la abuela? La verdad es que Elsa no había pensado en nada parecido, pero al oír la palabra "México" en boca de su abuela pensó que podía ser un buen sitio para olvidar.

Mientras caminaba por la calle de vuelta a su apartamento, empezó a pensar que estudiar un posgrado ahí podía ser una buena idea. Ya en su casa, desordenada, caótica, sin comida ni bebida por la depresión de los días de antes, Elsa conectó el ordenador, abrió Google, buscó "posgrados en México" y consiguió un montón de páginas web para consultar. "internet, maravilloso internet", dijo en voz alta.

---

[1] La expresión "poner tierra por medio" significa alejarse al máximo de algo o de alguien.

Al segundo o tercer *link* llegó a la sección de posgrados de la Universidad Nacional Autónoma de México (UNAM) y allí encontró lo que estaba buscando: una maestría[2] en arquitectura con una serie de créditos para realizar en cuatro semestres... "Dos años es un tiempo razonable", pensó Elsa, "ni mucho ni poco. Suficiente para olvidar y suficiente para no desconectarme demasiado de mi entorno".

Pedían una nota mínima de 8 en la licenciatura y ella tenía un 9,5. "Bien, la cosa va bien", pensó.

Mientras miraba toda la información del posgrado, se empezó a ilusionar con la idea: "Sí, poner mar por medio, como dice la abuela, poner todo un océano, descubrir otro país, otra cultura, aprender...". Y, entonces, le pareció increíble no haberlo pensado antes.

Los días siguientes los pasó preparando toda la documentación para presentar su petición de ingreso en el Programa de Posgrado de la Universidad Nacional Autónoma de México. Normalmente a Elsa le molestaba terriblemente la burocracia pero, en este caso, pidió certificados, actualizó su currículum vitae, fue al juzgado a pedir su acta de nacimiento y se informó de todos los trámites para su estancia legal en México, sin protestar, sin molestarse, todo con gran alegría e ilusión.

Cuando ya tuvo reunidos los papeles, los mandó y pidió una entrevista con el responsable del "campo de conocimiento", como decían en la UNAM, que más le interesaba: arquitectura mexicana colonial. Al cabo de unos veinte días, recibió una carta certificada que ponía:

Distinguida Señora:

Tenemos el gusto de comunicarle que, después de estudiar su documentación, ha sido usted aceptada para realizar una entrevista con el profesor Dr. Juan Emilio Salgado. La esperamos en nuestra facultad el día miércoles 28 de octubre próximo. Si usted es admitida, podrá comenzar el curso en el segundo semestre.

Atentamente,
El coordinador de los Programas de Posgrado

Después de leerla se sintió alegre, alegre como hacía tiempo que no se sentía. Salió a la calle a comprarse una buena guía de México, después fue a una floristería donde compró una docena de rosas y fue directamente a casa de su abuela:

—Sabía que iban a llamarte, angelito. Tenían que llamarte. Ya verás cómo lo mejor está por llegar. Y si te dan la plaza en México, igual me animo y te hago una visitita... Nunca es tarde, ¿verdad? Anda, ponme un güisquicito...

Esa era la abuela que a ella le gustaba, la abuela que le daba cariño y alegría, la abuela que le enseñaba que la tristeza no la llevaba a ninguna parte. Eduardo empezó a alejarse de su cabeza.

---

[2] En España se llama máster, en algunos países de Hispanoamérica, maestría.

La felicidad

B1

1. Estrategias

Completa las frases con estos conectores y con la forma correcta de los verbos.

> para   para que

1. Isabel tiene una niña que empieza a caminar. Todo el día tiene que estar muy atenta .... no .... (*caerse*), no .... (*poner*) las manos donde no debe ponerlas, no .... (*comerse*) las plantas, no .... (*tomarse*) el detergente…

2. .... (*ser*) feliz hay que aprender a ver las cosas negativas desde diferentes puntos de vista y pensar que son momentáneas.

3. .... no .... (*perder*) tiempo vamos a hacer lo siguiente: mientras tú vas al supermercado, yo limpio la casa. Y .... la cena .... (*estar*) lista a las ocho, vamos a llamar a Sebastián, ... nos .... (*ayudar*) a poner la mesa.

4. Te presento a Pilar; está de Erasmus en mi universidad. Ha venido .... (*aprender*) alemán y escribir su tesis. ¿Por qué no le muestras la facultad? Y .... (*saber*) dónde hay buen ambiente, llévala a tomar un café y a dar un paseo por la ciudad. ¿De acuerdo?

5. A Carlos le encanta bailar el tango. Le he traído un DVD de Buenos Aires .... (*tener*) una idea cómo lo bailan allí y .... se lo .... (*mostrar*) a sus amigas. No es fácil bailar el tango bien y .... (*bailarlo*) hay que practicar mucho.

> ⚠ En las oraciones finales, si la principal y la subordinada tienen el mismo sujeto, se usa **para** + Infinitivo.

2. Problemas familiares

Lee este texto. Se trata de un conflicto familiar producido por la actividad política de la hija, que lucha contra la dictadura franquista en España. Completa las frases con alguno de estos conectores temporales.

hasta (que) | después de (que) | antes de (que)

.... llegar a casa, la madre discute con su hija porque esta ha llegado tarde o ha dormido en otro lado. En opinión de la madre y la abuela, la hija era una chica normal .... empezó la universidad. Desde ese momento cambió; ya no es la misma. La chica está en una situación complicada, pero la madre no quiere saber nada de lo que está pasando y prefiere esperar .... llegue el padre para solucionar el problema. La chica trata de explicarle a su madre que tiene que esconderse .... sea demasiado tarde y que no puede esperar .... hablar con su padre. .... escuchar muchas preguntas, la chica finalmente cuenta que tiene problemas con la policía. .... enterarse de la verdad, la madre y la abuela tienen que empezar a cambiar la imagen de la chica que tenían.

3. ¡Excusas!

Completa estas frases con una justificación y agrega una justificación más.

1. ● ¿Por qué no has hecho los deberes, Miguelito?
   encontrarse mal y tener fiebre | **derramarse la leche encima de la libreta y estropearse**
   ○ *Es que ayer tuve fiebre y además se me derramó la leche encima de la libreta y se estropeó...*

2. ● ¿Qué le pasa a tu novia? ¿Está de mal humor? **no gustar el regalo** | **ya tener el libro**
   ○ ....
   ....

3. ● ¿Por qué te has quedado en casa sola? **tener mucho que hacer** | **querer ver una película en la tele**
   ○ ....
   ....

4. ● ¿Y si esta noche no salimos? **quedar con Susana** | **ser su cumpleaños**
   ○ ....
   ....

5. ● Te invito a cenar al Rocinante. Tienen una carne excelente. **ser vegetariano** | **hacer dieta**
   ○ ....
   ....

Excusas:
- es que... y además...
- porque... y también...
- lo siento, es que...

4. Causas y consecuencias

A. **Une las frases con estos conectores.**

1. No teníamos ganas de cocinar y además el refrigerador estaba vacío,

2. Los padres de Juan Carlos le mandan queso y jamón del pueblo

3. Elena no pudo adaptarse al estilo de vida francés,

4. A Alberto le han dado la beca

5. Aquí tienes todos los formularios que necesitas para la beca,

6. Yo siempre quise estudiar en el extranjero,

así que

porque

por

a. creo que es imprescindible para formarse intelectualmente y como persona.

b. sus brillantes resultados académicos, aunque la gente piense otra cosa.

c. solo falta que te decidas, los rellenes y los mandes.

d. volvió a Lugo después de unos meses. De todas formas, no se arrepiente de haberlo intentado.

e. decidimos pedir pizza por teléfono. Por una vez...

f. estudia en Salzburgo desde hace poco y todavía no se ha adaptado a la comida austríaca.

B. **¿Puedes usar el conector como causal en alguna de las frases anteriores?**
Vuélvelas a escribir haciendo las transformaciones necesarias.

5. Definir la felicidad

Comenta las frases utilizando los recursos del lateral u otros que conozcas. Pon atención al verbo.

La felicidad consiste en tener salud y mala memoria.

La felicidad está en tener dinero y no tener que pensar en él.

Solo sabemos lo que es la felicidad cuando se ha ido.

La manera de conseguir la felicidad es haciendo felices a las personas que queremos.

La felicidad consiste en no conocer la envidia.

La felicidad y el deseo no pueden ir juntos.

El 40% de la felicidad depende de los genes.

· Pero para mí... + Ind.
· Yo **no** creo que... + Subj.
· A mí **no** me parece que... + Subj.
· **No** es verdad que... + Subj.
· Yo **no** estoy seguro/a de que... + Subj.

· Mucha gente cree que... + Ind.
· Es cierto / posible que... + Ind.
· A veces se dice que... + Ind.

Para algunas personas la felicidad está en tener salud, pero yo no creo que sea lo único que hace falta...

6. Reacciones

Completa las reacciones a estas noticias. Puedes usar los recursos del lateral.

- Me alegra que... + Subj.
- Me parece fenomenal / absurdo... + que... + Subj.
- (No) me gusta / molesta que... + Subj.
- (No) me importa que... + Subj.
- Me da igual que... + Subj.
- Es una lástima / pena que... + Subj.
- Siento mucho que...+ Subj.

1. ● ¿Sabes qué? Lena tiene un coche nuevo.
   ○ _____, realmente lo necesitaba.

2. ● La chica francesa de mi clase quería venir a la fiesta pero está enferma.
   ○ _____, quizás el fin de semana se sienta mejor y venga.

3. ● La próxima semana hay clase el sábado.
   ○ A mí _____, es el único día de la semana que puedo hacer un poco de deporte.

4. ● Javier y Paula vienen a vernos este fin de semana y se quedan a dormir en casa.
   ○ _____ pero tienen que saber que estoy preparando exámenes y no tengo mucho tiempo para salir.

5. ● La computadora no funciona y el técnico está de vacaciones en Canarias.
   ○ ¡ _____ o en las Seychelles! Lo único que quiero es que alguien venga a arreglármela.

7. Noticias de la prensa

A. Lee estas noticias y clasifícalas en la tabla.

1 El príncipe Enrique de Inglaterra ha dejado a su novia, la modelo Florence Brudenell-Bruce, porque no quiere ataduras sentimentales y ahora prefiere concentrarse en su formación militar.

3 Los mares de Europa, destruidos por la contaminación y la sobrepesca. Cada día se extraen 25 000 toneladas de pescado en aguas europeas y se realizan unos 275 vertidos[2] ilegales.

[2] Residuos industriales contaminantes

2 Más de un millar de vecinos de Lloret de Mar[1] exigen que se tomen medidas para acabar con el turismo de borrachera que tan mala imagen da a la ciudad.

[1] Población muy turística de la Costa Brava (España)

4 La directora del Fondo Monetario Internacional se enfrenta a hasta 10 años de cárcel por un supuesto trato de favor.

(1) (2) 20 Minutos, 16.08.11 / (3) 20 Minutos, 04.06.09 / (4) El Mundo, 16.08.11

me alegra	me molesta	me da igual	me da pena
2	4		1 3

B. Escoge una de estas noticias y escribe un comentario breve con tu opinión. Fíjate en los consejos para escribir un texo argumentativo.

Para escribir un **texto argumentativo**, extenso o breve, asegúrate de hacer lo siguiente:
· Enunciar el tema y tu opinión sobre el tema.
· Exponer tus argumentos y relacionarlos entre ellos.
· Sacar una conclusión de esos argumentos.
Los **conectores** son útiles para introducir la opinión, los argumentos y la conclusión.

8. El mundo al revés

A. Estas son frases inspiradas en el libro *Patas arriba. La escuela del mundo al revés*, del escritor uruguayo Eduardo Galeano. Complétalas con la forma adecuada del verbo.

Había una vez...

Había una vez un país donde los economistas (*llamar*) _____ nivel de vida al nivel de consumo, y calidad de vida a la cantidad de cosas. El gobierno (*estar*) _____ en guerra contra los pobres y no contra la pobreza. Una parte del mundo (*morirse*) _____ de hambre y otra (*morirse*) _____ de indigestión, es decir, (*comer*) _____ más de lo necesario y (*enfermarse*) _____ .
Se (*tratar*) _____ a las niñas y niños de la calle como basura porque (*haber*) _____ niñas o niños en la calle. La educación (*ser*) _____ un privilegio porque una parte de ese mundo solo (*conocer*) _____ los privilegios.
Y a la Iglesia, católica o protestante, le (*dar*) _____ igual, solo (*tener*) _____ diez mandamientos. Faltaba uno: "Amar a la naturaleza, de la que somos parte".

B. ¿Crees que estas frases se corresponden con la realidad? Explica por qué.

C. Alguien ha vuelto a escribir este texto. ¿Qué forma verbal necesitas ahora?

Soñemos ahora…

Soñemos con un mundo donde los economistas no (*llamar*) _____ nivel de vida al nivel de consumo, ni calidad de vida a la cantidad de cosas. Un mundo donde nadie (*morirse*) _____ de hambre porque nadie va a morir de indigestión. Donde las niñas y niños de la calle no (*ser*) _____ tratados como basura porque las niñas y niños de la calle no existen. Un mundo donde la educación no (*ser*) _____ el privilegio de quienes (*poder*) _____ pagarla. Donde la Iglesia también (*tener*) _____ otro mandamiento, del que nos hemos olvidado: "Amar a la naturaleza, de la que somos parte". Un mundo donde las mujeres y los hombres (*ser*) _____ seres humanos y no solo recursos humanos.

9. Filosofando

CD1
81-83

A. Escucha de nuevo a estas personas que hablan sobre la felicidad y define a cada uno de ellos usando estos adjetivos y expresiones.

soñador/a	humilde	tranquilo/a	ambicioso/a	triunfar en la vida	analítico/a
sabio/a	optimista	sociable	familiar	estable	tradicional	planes de futuro
salud	dinero	vida sencilla	pareja	relaciones interpersonales

· Marta es...
· Marta piensa que...

B. Aquí tienes una transcripción de lo que dicen. ¿Entiendes las palabras destacadas? Piensa una definición y escríbela.

Marta

Luis

Ernesto

Marta

Pues para mí la felicidad es pasarlo bien con mis amigos. No quiero vivir como mis padres, pagando toda la vida la **hipoteca** de la casa, los **plazos del coche**, del ordenador, pensando en la **jubilación**... o en la **residencia** de la abuelita. Claro que necesitas dinero, pero no mucho: para comer, para vestirte, pero no para consumir como lo vemos todos los días en la tele...

Luis

Bueno... si me preguntas hoy, para mí la felicidad es terminar mi carrera, con todo el estrés de los exámenes, los fines de semana encerrado en casa estudiando y sin tiempo para hacer nada interesante. Supongo que, en general, la felicidad es eso que llamamos triunfar en la vida, tener una familia, dinero, viajar... También una pareja estable es importante para ser feliz: tener objetivos comunes, hacer planes juntos, la **ternura** y la **comprensión** de otra persona...

Ernesto

La felicidad de las personas no depende siempre de tener buena o mala salud, de estar sano o enfermo. Debemos aprender desde la **infancia** que nuestras acciones tienen consecuencias buenas o malas. Saber qué hacemos bien o mal influye en la forma de ver la vida y cómo nos relacionamos con los demás. El optimismo se aprende y esto significa que podemos no solo reducir el pesimismo y la depresión, sino desarrollar el optimismo, el **bienestar** y la felicidad. Es importante que nos alimentemos bien, hagamos un poco de ejercicio físico y durmamos lo suficiente. Hay que aprender a ver las cosas negativas desde diferentes puntos de vista y pensar que son **momentáneas**. Es fundamental que las personas establezcan redes sociales: la amistad, la familia, los grupos deportivos y los hobbies son muy importantes. **Incorpora** situaciones gratificantes en tu vida cotidiana.

C. Busca ahora las palabras en el diccionario. ¿Se parecen a lo que habíais pensado?

10. Un caso de estrés

Carlos tiene un problema y ha escrito un mensaje a un consultorio psicológico online. Léelo y contéstale con los consejos que te parezcan adecuados.

"Casi todos los problemas tienen solución"

Escribo porque estoy muy preocupado, casi deprimido, es algo que nunca me había sucedido y no lo entiendo. Me miro al espejo y pienso: "este no soy yo". Tengo una mujer y unos hijos maravillosos, y una casa que es un sueño. Soy una persona ambiciosa: siempre me ha gustado trabajar, superarme y conseguir nuevos objetivos. Ocupo un puesto de responsabilidad en una gran empresa donde incluso la competencia entre compañeros es muy dura. Trabajo más de 10 horas diarias y en los fines de semana y en las vacaciones leo y respondo correos y hago llamadas. Nunca dejo de pensar en mi empresa, pero estoy convencido de que todo lo que hago es imprescindible para estar a la altura de mis superiores y para seguir avanzando en mi carrera profesional. Pero ahora hace un tiempo que por la mañana me levanto muy cansado, tengo problemas de concentración y temo que mis compañeros se enteren. Me doy cuenta de que ya no veo a mis hijos, solo nos comunicamos con el ordenador. Mi mujer solo escucha mis problemas de trabajo, y tengo tantas preocupaciones que si me habla de otras cosas me veo incapaz de ponerle atención. Ya no pienso en divertirme, tampoco soy capaz de relajarme, siempre estoy muy cansado o de mal humor, y cualquier asunto me crea preocupaciones porque nunca tengo ni un momento para nada. ¿Qué puedo hacer? No quiero cambiar mi vida, pero siento que ya no la controlo… Muchas gracias por vuestras respuestas.

· Es mejor que...
· Es conveniente que...
· Es fundamental que...
· Si te preocupa..., tal vez puedes...
· Quizás debas...
· A los mejor es una buena idea...
· ¿Por qué no...?
· ¿Qué te parece si...?

11. Es un decir...

A. Relaciona las dos columnas para obtener expresiones sobre estados de ánimo muy frecuentes en español.

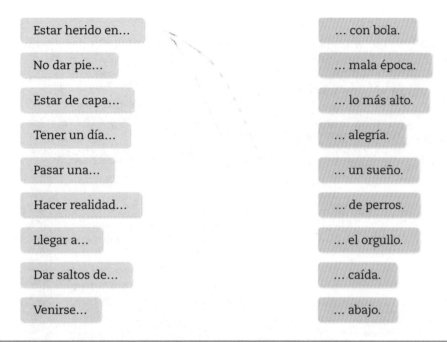

Estar herido en...

No dar pie...

Estar de capa...

Tener un día...

Pasar una...

Hacer realidad...

Llegar a...

Dar saltos de...

Venirse...

... con bola.

... mala época.

... lo más alto.

... alegría.

... un sueño.

... de perros.

... el orgullo.

... caída.

... abajo.

Para saber **qué palabras se combinan frecuentemente** y qué significan estas combinaciones o expresiones puedes hacer búsquedas en internet o usar un **diccionario combinatorio**. Recuerda que a veces, el significado de una combinación de palabras no se puede deducir del significado de cada una de ellas por separado.

B. ¿Sabes qué significan estas expresiones? Clasifícalas en esta tabla y averigua su significado (lee la estrategia de arriba).

estado de ánimo positivo	estado de ánimo negativo

C. Piensa una situación adecuada para usar cada una de ellas y escribe una frase que exprese lo mismo o algo parecido.

D. ¿Conoces más expresiones similares en español?

NOVELA EN 7 CAPÍTULOS / LOURDES MIQUEL

CAPÍTULO 2 **Embarcarse, volar**

Después de muchos días preparando la entrevista y el viaje, Elsa, rodeada de su maleta, el ordenador y una mochila llena de cosas para soportar el largo vuelo, recibió un SMS que le anunciaba la llegada del taxi para ir al aeropuerto.

Estaba nerviosa. Alguien dijo que viajar y enamorarse eran lo mismo: una promesa y un peligro. Durante los días anteriores, Elsa solo había pensado en la promesa: un nuevo país, nuevas costumbres, comidas distintas, disfrutar de lo diferente... Pero, desde hacía unas horas, solo pensaba en los peligros: alejarse de lo suyo, de sus conocidos, de sus rutinas. "¿Por qué tengo siempre este miedo antes de los viajes?", se preguntó. "Miedo a los viajes, miedo a los exámenes... ¡Qué desastre!". Se propuso pensar con claridad: estaba segura de que, una vez en el avión, todos los miedos iban a desaparecer. O, al menos, el miedo a viajar.

Había sacado su tarjeta de embarque por internet y había conseguido un buen asiento: ventanilla y en las primeras filas del avión. Al dejar su mochila en el suelo del avión, se le cayó el neceser, se abrió y se rompió un espejo pequeñito que llevaba... "¡Oh, no!", pensó atemorizada. "Un espejo roto son siete años de mala suerte... Esto no está empezando nada bien". Elsa sabía que eso era irracional, que no estaba basado en nada objetivo, que era una simple superstición, pero, a veces, no podía impedir sentir ese miedo, que, en el fondo, le daba mucha vergüenza.

Intentó tranquilizarse, pero entonces descubrió que era martes.[3] "¡Dios mío, qué día! Embarcando en martes... Espejo roto, viaje en martes... Tengo que distraerme", pensó mientras se tocaba el anillo que le había regalado su abuela cuando cumplió dieciocho años, que era de su tatarabuela, y que, desde entonces, Elsa llevaba siempre como un amuleto.

—Hola —le dijo sonriendo un chico muy guapo, alto, atlético y con mirada inteligente, mientras se sentaba en el asiento junto al suyo.

—Hola —le dijo Elsa mientras pensaba: "Sí, creo que voy a distraerme y no precisamente con el iPod... Quizá no está empezando tan mal...".

En cuanto el avión despegó, a Elsa, como siempre, se le pasaron todos los males y decidió que le encantaba estar en las nubes.[4] Durante la primera parte del viaje hizo *sudokus*, crucigramas, escuchó sus canciones preferidas, leyó algunos capítulos de una novela que se llamaba *Entre dos mundos* y que trataba sobre una mujer que cambia de vida por amor. "Muy adecuada para mí", pensó. Y, después, muerta de cansancio por la tensión y las idas y venidas de los días anteriores, se durmió profundamente. Apenas habló con su estupendo compañero de viaje porque él dormía cuando ella estaba despierta y estaba despierto cuando ella dormía. Pero lo miraba a menudo y se admiraba de lo mucho que le gustaba.

Se despertó con la metálica voz de la azafata que anunciaba el inmediato aterrizaje en Ciudad de México: "Dentro de unos minutos llegaremos Aeropuerto Internacional de la Ciudad de México, Benito Juárez. Rogamos desconecten sus aparatos electrónicos, pongan sus asientos en posición vertical y su mesa plegada y se abrochen los cinturones de seguridad".

Elsa miró por la ventanilla: ya estaban sobrevolando la Ciudad de México y así estuvieron veinticinco minutos más. Le pareció una ciudad interminable, infinita.

"Y allí estaré yo estos días, como una hormiguita insignificante, decidiendo mi vida para los próximos años", estaba pensando Elsa cuando su guapísimo compañero de viaje le preguntó:

---

[3] Hay un refrán español que dice: "13 y martes, ni te cases ni te embarques". Para los españoles, y también para otros muchos hispanoamericanos, el martes es el día de la mala suerte. El origen de esta creencia está en que el martes es el día de Marte, dios romano de la guerra. El peor día, en las supersticiones, españolas es el martes y 13.

[4] "Estar en las nubes" significa, también, estar distraído, ausente de lo que está pasando en la realidad.

—¿A qué vas a México?

—Voy en busca de la felicidad —le contestó Elsa y enseguida pensó que parecía muy cursi y que tal vez lo era, pero se parecía a la verdad. Para ella, en ese momento de su vida, olvidar a Eduardo, borrarlo de su vida, y empezar una vida nueva, llena de sorpresas, era lo más parecido a la felicidad.

Su compañero no le dijo nada más. Era difícil decir algo después de la frase de Elsa. La miró intensamente y le sonrió. Elsa sintió un escalofrío.

Aterrizaron, recogió su maleta, que llegó sin problemas, y tomó un taxi al hotel, que estaba relativamente cerca del campus de la UNAM[5]. Durante el trayecto, Elsa contemplaba el paisaje de la ciudad lleno de grandes avenidas repletas de coches y de sonidos de claxon. Una vez en el hotel, se instaló en su habitación, que resultó ser tranquila y cómoda, y empezó a pensar en el día siguiente: "No sé si es una buena idea tener una entrevista, que, en el fondo, es más, mucho más que un examen, un día después de un viaje tan largo y con *jetlag...*".

Puso todas las alarmas posibles para asegurarse de que iba a despertarse con tiempo suficiente para llegar relajada a la entrevista y se acostó. Antes de dormirse pensó un momento en su familia y se preguntó por qué su abuela Mercedes le había propuesto México con esa tremenda seguridad y determinación.

Cuando se despertó, tenía una extraña sensación en el cuerpo: se sentía desorientada, con poca energía, y no sabía si tenía sueño, hambre o estaba medio enferma... Desayunó mucho y le gustó todo lo que probó, sobre todo la fruta, tan distinta a la española, tan jugosa y sabrosa...

Después tomó un taxi y llegó al campus, que le pareció muy agradable, lleno de edificios rodeados de inmensos y fantásticos árboles, lleno de flores y de espacios para caminar. "Un oasis donde poder respirar en esta ciudad", pensó.

Entró en la Facultad de Arquitectura y se dirigió a la tercera planta, al cubículo[6] 40, tal como le dijeron en el mostrador de información, ya que en la carta que le habían mandado no decían dónde era la entrevista. En la tercera planta había una serie de administrativos:

—Buenos días. Busco al profesor Salgado, tengo una entrevista con él.

—Tome asiento. En un ratito[7] viene el profesor.

Elsa se preparó para esperar bastante tiempo, pero enseguida se dio cuenta de que "rato" no significaba lo mismo que en España porque, dos minutos después, salió el profesor Salgado a recibirla:

—¿Elsa Esteve? Ya puede pasar.

Elsa se levantó, cogió su cartera con la documentación y el portátil y pensó como Julio César: "la suerte está echada". Su bioritmo no parecía estar alterado en ese momento.

---

[5] Siglas de Universidad Nacional Autónoma de México.

[6] En México se utiliza la palabra "cubículo", en España "despacho".

[7] En España "un rato" significa un espacio de tiempo algo prolongado. En estas situaciones, en español peninsular se diría "enseguida", "en unos minutos", pero nunca se usaría la palabra "rato".

Piensa globalmente, actúa localmente

1. Hablemos del futuro

A. Completa estos textos en los que se hacen predicciones sobre el futuro.

1. Marlene va de Erasmus a Barcelona y su amiga Simone, que la conoce bien,
   imagina lo que va a hacer.

Seguro que antes _____ (*comprar*) un buen mapa de la ciudad. _____ (*buscar*) alojamiento
en un piso compartido, porque así todo _____ (*ser*) más barato y divertido. _____ (*ponerse*)
en contacto con su tutora o tutor y así _____ (*saber*) a qué cursos debe ir. También
_____ (*conseguir*) un pase estudiantil para moverse por la ciudad con comodidad y sin gastar demasiado dinero.

2. La Asociación para el Turismo Ecológico hace una predicción sobre el turismo
   en el que creen, el turismo del futuro.

Los turistas del futuro _____ (*ser*) personas que no solo _____ (*disfrutar*) sino
también _____ (*cuidar*) la naturaleza. _____ (*pasar*) sus vacaciones en lugares ricos en
diversidad cultural. _____ (*viajar*) para conocer otros lugares, otra gente y nuevas costumbres.
Está claro que también _____ (*buscar*) sol y playas pero _____ (*interesarse*) también
por el paisaje, las comidas típicas y el arte de la región.

B. Ahora escribe tú un texto sobre los mercados o supermercados del futuro usando estas ideas.

| reciclaje | reutilización | productos locales |

| residuos | productos importados |

| productos ecológicos | productos con componentes artificiales |

· seguro que…
· estoy seguro/a de que…
· quizá…
· probablemente…
· no hay duda de que…

2. Buenos consejos

A. En las frases siguientes se presentan unos problemas y unos consejos para resolverlos. ¿Qué formas verbales necesitas? Complétalas.

1. Si .... (*tú, querer*) hablar gratis, ... (*bajarse*) un programa que se llama Skype.

2. Si tú .... (*tú, necesitar*) un vídeo para tus clases, ... (*buscarlo*) en YouTube.

3. Si no .... (*vosotras, querer*) perder documentos, ... (*almacenarlos*) en el disco duro.

4. Si en tus textos .... (*haber*) muchas faltas de ortografía, ... (*instalar*) un buen programa de corrección.

5. Si tú .... (*tú, necesitar*) un sinónimo de una palabra, ... (*buscarla*) en procesador de textos.

6. Si vosotros no .... (*tú, saber*) el significado de una palabra, ... (*consultar*) la edición digital de la Real Academia de la Lengua Española.

7. Si no .... (*usted, poder*) entrar en internet, ... (*revisar*) la conexión.

8. Si .... (*vosotros, pasar*) muchas horas trabajando frente a la pantalla del ordenador, ... (*descansar*) un poco cada dos o tres horas y .... (*caminar*) por la habitación o .... (*salir*) a dar un paseo.

B. Ahora une los elementos de las cajas para obtener otro tipo de consejos en los que se plantea una situación y sus consecuencias. Escríbelos en frases.

estudiar	examen	aprobar
ahorrar	hambre	comer algo del frigorífico
si entender	inglés	ver muchas películas en versión original
tener	suficiente dinero	cocinar para la cena
comprar	pescado fresco	comprar un coche

3. Condiciones para un caradura

Dolores tiene problemas con su hijo. Lee lo que le ocurre y termina las cinco condiciones que le pone para mejorar la situación.

Tomás tiene treinta años y no quiere irse de casa. Todavía no ha terminado la carrera y no tiene la menor intención de trabajar. Como él dice, le gusta tomárselo con calma. Dolores está desesperada, porque además de no pagar nada, no colabora en las tareas domésticas.

1. Si no empiezas a buscar trabajo, ...

2. Si vives en esta casa, ...

3. Si comes y cenas con nosotros, ...

4. Si quieres que te lave la ropa, ...

5. Si mañana no limpias el cuarto de baño, ...

4. ¿Y tú qué harías?

Imagina que te encuentras en estas situaciones. ¿Qué harías?

> ✳
> · Yo en ese caso… + Condicional
> · Quizás… + Condicional
> · A lo mejor… + Condicional
> · Seguramente… + Condicional
> · Supongo que… + Condicional

1. Encuentras una cartera con 300 euros y documentos personales, estás a fin de mes y necesitas dinero.

   Quizás iría a ....
   ....
   ....

2. Vas por la calle y te para la televisión nacional para hacerte una entrevista sobre las rebajas de verano.

   ....
   ....
   ....

3. Son las once de la noche, estás cocinando y te falta un ingrediente.

   ....
   ....
   ....

4. Tus vecinos tienen tres hijos que hacen mucho ruido y los fines de semana organizan grandes fiestas.

   ....
   ....
   ....

5. Conjeturas de una vecina

A. Los estudiantes Erasmus tienen una vecina muy curiosa. Lee lo que piensa mientras mira por la ventana y completa las formas verbales adecuadas.

¿Qué pasará en la casa de los Erasmus? ¿Estará llegando otra persona al piso? Seguro que _____ (hacer) aún más ruido. ¿Qué _____ (estar) haciendo ese taxi? Hace media hora que está allí y no se va. ¿Y esos dos chicos, qué _____ (estar) esperando? ¡Oh, ahora sale Alessandra con una maleta! ¿_____ (ser) amigos de ella? Alessandra _____ (querer) cambiarse de casa otra vez. ¿_____ (tener) algún problema con los demás? ¡Pobre, es tan buena chica! ...

B. Escribe ahora cómo, al día siguiente, la vecina de los Erasmus le cuenta lo que vio a una amiga. ¡Recuerda que casi todo lo que puede contar son hipótesis!

Ay Antonia, anoche ocurrió algo muy raro. No recuerdo muy bien la hora. Serían más o menos las once cuando vi _____

_____

_____

_____

C. Ahora vas a elaborar tus propias conjeturas siguiendo este esquema.

situación	hipótesis sobre el presente	hipótesis sobre el pasado
Juan no ha venido a clase.	Estará enfermo en su casa.	Ayer saldría hasta muy tarde por la noche.
David está hablando con Susana y parece preocupado.		
	Estará celebrándolo con sus amigos.	
		Iría al cine a verla y le gustaría.
		Tendría ganas de caminar.
	Su avión llegará con retraso.	
Carmen y Teresa no se hablan.		
Félix está buscando un piso de alquiler.		

⚠️ Usa el **Futuro** para hacer hipótesis sobre el Presente y el **Condicional** para las hipótesis sobre el pasado.

6. Un futuro probable

A. Rellena esta ficha con datos sobre tu vida actual.

Nombre:

Edad:

Lugar de residencia:

Ocupación profesional / Estudios:

Estado civil / Pareja:

Tipo de vivienda y con quién la compartes:

Actividades más frecuentes aparte del trabajo o los estudios:

Sueños, ilusiones:

B. ¿Qué cosas haces ahora que no hacías hace diez años?

· hace… años (todavía)…
· ahora ya no…

C. Ahora escribe cómo será tu vida dentro de diez años. Menciona los aspectos de la ficha.

7. Se buscan voluntarios

¿Recuerdas las organizaciones de la actividad 9 del Libro del alumno? ¿Con cuál te gustaría colaborar? Revisa sus anuncios y escríbeles un correo electrónico solicitando participar en su proyecto.

Estructura de una carta formal:
· dirigirse a la persona destinataria. Si no se conoce su nombre, usar **Estimados Señores y Señoras**.
· explicar objetivo
· presentarse
· explicar motivos para participar en el proyecto
· detallar documentos que se adjuntan
· dar las gracias y despedirse

8. ¿Un consumo más razonable?

A. Lee el título de este artículo. ¿Sabes lo que es una cooperativa? ¿Existen este tipo de comercios en tu país? ¿Qué te interesa saber de este tema? Lee luego el texto.

Las cooperativas de comida ecológica viven "un boom"

2500 familias catalanas se auto-organizan para rechazar la industrialización de la producción, distribución y consumo alimentario.

Un grupo de personas cada vez mayor mantiene una discreta rebelión contra el actual sistema industrial de cultivo, distribución y consumo alimentario. En Cataluña, cerca de 2500 familias han optado por auto-organizarse en cooperativas para asegurarse de que toda la comida que ingieren es ecológica, cumple con unos requisitos éticos y de sostenibilidad y conserva intactos todos sus sabores naturales.

Actualmente hay entre 40 y 50 de estas cooperativas en Cataluña, pero en los últimos cinco años el fenómeno vive "un boom" que les hace crecer a un ritmo de cien familias al año, según cuenta Oriol Martí, de la asociación Ecoconsum, que integra a 20 de estas agrupaciones.

Las cooperativas acostumbran a tener un límite de 50 núcleos familiares para asegurarse que mantienen un tamaño acorde con el espíritu que las impulsa: todo el mundo trabaja y nadie cobra. De esta forma se consigue que entre el productor y el consumidor no haya ni un solo intermediario y que la comida ecológica mantenga un precio similar al de los alimentos que se cultivan y venden de forma industrial, explica Javier Fernández, de la cooperativa Cydonia del Poble Nou barcelonés. [...]

Las motivaciones de las personas que optan por alimentarse en cooperativas tienen que ver con la salud, el medio ambiente y la ética social, cuenta Martí. [...] El fenómeno de las cooperativas es más fuerte en las ciudades grandes y medianas que en el resto de poblaciones, ya que en las poblaciones próximas a áreas rurales es más fácil conseguir directamente y de forma individual este tipo de productos. Otro de los criterios basado en la sostenibilidad sobre el que se rigen las cooperativas es el de proximidad: a ser posible, siempre es preferible que el producto proceda de la comunidad donde uno vive, para ahorrar desplazamientos innecesarios y favorecer los vínculos sociales.

Joel Albarrán Bugié, 21.02.2009, www.lavanguardia.com

B. Vuelve a leer el texto con el objetivo de comprender las razones, los fines y las consecuencias de los hechos y acciones que se describen. Subraya la información que explica:

a. por qué se elige una forma determinada de alimentación
b. cómo se consigue producir alimentos a precios moderados

C. Escribe un resumen del texto y tu valoración sobre el fenómeno que se describe.

"Boom" de las cooperativas de comida ecológica

9. Las industria del papel

CD2
2-3

Escucha de nuevo la entrevista sobre la industria del papel, y escribe con tus propias palabras un resumen de los siguientes puntos de la entrevista.

Por qué hay papeleras en Argentina:

Por qué la asociación se enfrenta a la instalación de una nueva papelera:

Por qué son peligrosas:

Por qué son malas para la economía:

10. Los problemas del futuro

A. Estos son problemas que ya existen en el mundo y que posiblemente existirán en el futuro. ¿Se te ocurren otros que tengan la misma importancia? Añádelos.

la desertización   la superpoblación   las guerras

la contaminación   la falta de recursos naturales   la falta de agua

la crisis económica   las catástrofes naturales   los accidentes nucleares

los conflictos culturales   ...

B. Explica con tus propias palabras qué son estos fenómenos.

Desertización: ....

Superpoblación: ....

Catástrofe: ....

Conflicto: ....

Crisis: ....

⚙

Definir palabras es un buen ejercicio para aprender vocabulario, y además te servirá para aprender a explicar palabras que no conoces y para expresarte mejor. Usa sinónimos y pronombres relativos en las definiciones.

C. Escoge cinco de estos problemas y escribe una frase sobre cada uno con tus hipótesis de futuro.

D. Escribe tus propuestas para solucionar estos cinco problemas.

✽

· Se podría/n…
· Se debería/n…
· Habría que…
· Deberíamos…
· Sería bueno / deseable…
· La solución sería…

NOVELA EN 7 CAPÍTULOS / LOURDES MIQUEL

CAPÍTULO 3 **Entrevistarse, dejarse llevar**

La entrevista se realizó con dos profesores, Esther Rosa Gordillo y Juan Emilio Salgado, y fue bastante larga y agradable. Los profesores hicieron lo esperado: comentaron su currículum, analizaron los estudios que había realizado, las prácticas que había hecho en la facultad y en un estudio de arquitectos de Barcelona, revisaron los certificados que tenía y hablaron de planes de futuro..., pero también fueron cálidos y acogedores.

—¿Por qué le interesa este postgrado? —le preguntaron casi al final de la entrevista.

Elsa pensó: "Para olvidar al cretino de mi ex novio", pero eso no podía decírselo. O sea que les dijo:

—Bueno, es una cuestión fundamentalmente estética. La arquitectura mexicana colonial me parece hermosa y muy racional. Y me encantaría poder aplicar algunos de sus principios en la construcción de chalés modernos. Y, además, me interesa estudiar las casas de Coyoacán[8], más modernas, pero que ya integran aspectos de esa arquitectura.

—¿Cómo imagina usted la arquitectura del futuro? —le preguntó la profesora Gordillo.

—Bueno, no soy adivina, pero estoy convencida de que las casas tendrán que ser ecológicas y sostenibles. Y, además, tendremos que crear núcleos urbanos más pequeños, más humanos y vivibles, con todos los servicios necesarios para no tener que desplazarse de punta a punta de la ciudad como ahora. Habrá que volver a la idea de barrio totalmente autosuficiente.

—Ojalá sea así... Bueno, pues eso es todo. ¿Cuándo regresa a España?

—El próximo domingo.

—Como sabe, ahora tenemos que entrevistar a otros aspirantes. Dentro de unas cinco semanas, a finales del mes que viene, le daremos una respuesta.

—Estupendo. Muchas gracias.

—Ah, y un consejo si me permite... Pasee mucho por Coyoacán estos días y, si puede, dése una escapada[9] a Puebla para ver arquitectura colonial. Y, así, se va ambientando.

Eso a Elsa le sonó como un buen presagio, casi como la certeza de que lo había hecho bien. Salió contenta y relajada. Y, por primera vez desde que había llegado, tuvo la sensación de estar de vacaciones. México: todo para ella. Le quedaban casi cinco días en México y decidió disfrutarlos intensamente. Fue a ver el edificio de la Rectoría para contemplar el mural de Siqueiros[10]. Mientras lo estaba mirando pasó un grupo de estudiantes. Uno de los chicos la miró y le dijo:

—Chao, Elsa.

Elsa se quedó mirándolo, pero no lo conocía. Lo volvió a mirar, pero ya estaba lejos para verlo bien. "¿De qué me puede conocer este chico? ¿Y cómo puede saber mi nombre si yo no conozco a nadie aquí?", pensó muy sorprendida. Pero no se atrevió a correr para acercarse al chico. Pensó que, seguramente por el cansancio, la tensión de la entrevista y el desorden horario, lo había entendido mal.

Decidió tomar el metro. Y se fue a Coyoacán.

Le encantaron los dibujos para identificar las estaciones del metro. Cada estación tenía un dibujo distinto, puesto especialmente para la gente que no sabe leer. Le pareció una idea muy inteligente, que nunca había visto en ninguna ciudad.

---

[8] Coyoacán es uno de los barrios más emblemáticos de la Ciudad de México, lleno de vida y color. Allí se puede encontrar la Casa Museo de Frida Kahlo y numerosas casas unifamiliares.

[9] En el español de México se utiliza "darse una escapada" mientras que en el español de España se utiliza "hacer una escapada".

[10] David Alfaro Siqueiros (1898–1974). Pintor mexicano, figura máxima, junto a Diego Rivera y José Clemente Orozco, del arte mural mexicano.

Pasó el resto de la mañana paseando por Coyoacán y se quedó maravillada de los colores y de la vida de ese barrio, que le pareció casi un pueblo aparte, distinto totalmente al resto de la ciudad. O, al menos, al resto que había visto en el taxi de ayer y en el de la mañana desde el hotel. Vio todo lo que pudo: la Casa Colorada de La Malinche, la casa de Diego Ordaz, la Casa Municipal[11] y una serie de casas privadas llenas de color y con patios interiores, imposibles de ver desde fuera, repletos de árboles y plantas. Estuvo un rato en el Jardín Hidalgo contemplando la vida del barrio. Después se dio una vuelta por el mercado y decidió que tenía que pasar una mañana exclusivamente en ese mercado para mirar la comida, tan distinta a la española, aprenderse los nombres, fotografiarlo todo...

Tenía hambre y decidió sentarse en una pequeña taquería[12] en una plaza cerca del Museo de Frida Kahlo. Y allí, cómodamente, se sentó a comer.

—Estos tacos que están comiendo esos señores de allá, ¿son muy picantes?

—No, mi reina —le dijo el camarero—. No pican. Estos son muy ligeritos[13].

Así descubrió una de las mentiras que dicen los mexicanos: Elsa casi se muere al probarlos. Con lágrimas en los ojos y toda la boca ardiendo, sin poder respirar, bebió y bebió agua mientras los mexicanos de alrededor se reían de ella. La verdad es que picaba, pero era delicioso. Y poco a poco se fue acostumbrando al sabor.

Después de beberse dos litros de agua para superar el ardor del picante y de tomarse dos cafés para superar el sueño y el cansancio, se tomó un helado en una nevería[14] y fue al Museo de Frida Kahlo[15], esa magnífica casa de un azul intenso y vital. Le gustaron muchísimo los cuadros, pero lo que más le impresionó fue la casa: las habitaciones, la decoración, el jardín integrado en el interior, los árboles... y se imaginó a ella misma viviendo en esa casa de audaces colores. "Este tipo de casas son las que yo quiero construir en el futuro".

A la salida del museo, se sentó un rato en un banco en una placita con un jardín centenario. Al cabo de un poco se le acercó una niña morena, muy guapa, que no tendría más de diez años y le preguntó si podía leerle la mano. Elsa aceptó pensando que le diría lo típico: que se casaría y que tendría muchos hijos. Pero la niñita le dijo otras cosas:

—Vivirás aquí, en este barrio, dentro de unos meses. Además encontrarás a alguien muy importante para ti. No, no, no encontrarás a una persona, no. Encontrarás a muchas: una que ya conoces y otras que no conoces de nada. Y descubrirás algo.

Elsa se sorprendió un poco, pensó que a todos los turistas les debía decir lo mismo y le dio unos pesos, seguramente bastantes porque la niña se fue muy contenta.

Pasó un coche por delante del bar y el conductor empezó a tocar el claxon. Era un hombre de unos cuarenta años que sacó medio cuerpo por la ventanilla y dijo:

—Quiúbole[16], Elsa. A ver si nos vienes a ver pronto, que hace mucho que no te vemos.

Elsa se preguntó si los efectos del *jetlag* o el exceso de picante le estaban provocando espejismos.

---

[11] La Casa Colorada, o casa de La Malinche, la mandó construir Hernán Cortés, en la llamada época virreinal (siglo XVII) y es la más antigua del barrio. La casa de Diego Ordaz es del siglo XVIII y tiene la fachada decorada con estilo mudéjar. La Casa Municipal es también del siglo XVIII.

[12] Así se llaman los restaurantes en los que se comen "tacos", uno de los platos más populares de la comida mexicana. Están hechos de una tortilla de maíz o de trigo en la que se ponen diferentes rellenos y se sirven con variadas salsas. Se suelen comer con la mano, como un bocadillo.

[13] En México usan el adjetivo "ligero" para decir que no es picante. En español peninsular se dice "suave".

[14] En México se llaman "neverías" a los lugares que venden helados. En España se llaman "heladerías".

[15] También llamada la Casa Azul. Allí vivió y murió la famosa pintora mexicana (1907–1954). Es su museo desde 1958. La casa es de principios de siglo y su gran colorido recuerda el de la pintura de la artista.

[16] Expresión popular mexicana que, a veces, se emplea como saludo.

¿A qué dedicas el tiempo libre?

1. Perífrasis

A. Reemplaza la parte destacada de la frase por una perífrasis. No puedes repetir ninguna y no las podrás usar todas.

| ponerse a + Infinitivo | soler + Infinitivo | pensar + Infinitivo | estar a punto de + Infinitivo |

| dejar de + Infinitivo | tener que + Infinitivo | hay que + Infinitivo | acabar de + Infinitivo |

| volver a + Infinitivo | seguir + Gerundio | estar + Gerundio | ir a + Infinitivo |

1. **Justo ahora ha salido** un estudio que explica la relación de los jóvenes con el tiempo libre en los últimos diez años.

2. El tiempo libre es una de las prioridades de los jóvenes: a veces **se quedan sin dormir** para disfrutar de la noche.

3. Por su situación económica, muchos jóvenes españoles **se ven obligados a vivir** en casa de sus padres hasta más allá de los 30 años.

4. Muchos adolescentes **tienen la costumbre de encerrarse** en su habitación y relacionarse con gente desconocida a través de internet.

5. Internet **ya casi supera** a la televisión en la cantidad de tiempo que le dedica la gente joven.

6. Las actividades culturales **todavía son** las menos elegidas a la hora de salir los fines de semana.

7. **Es necesario tener** en cuenta que las actividades de tiempo libre están relacionadas con las posibilidades económicas.

B. Escribe frases con las perífrasis que no has usado.

2. Vamos a empezar

¿Necesitas solo un verbo o una perífrasis? Escoge y completa en cada caso; hay varias opciones correctas.

tener que + Infinitivo	ir a + Infinitivo	estar + Gerundio
ponerse a + Infinitivo	pensar + Infinitivo	volver a + Infinitivo

1. Andrea llama por teléfono a Verena porque tiene ganas de salir.

● Hola Vere, soy Andrea. ¿Qué _____ (*hacer*) ahora?

○ Pues ahora mismo _____ (*estudiar*) para el examen.

● ¿No tienes ganas de dar una vuelta o tomar un café?

○ De verdad no puedo, _____ (*estudiar*).

● ¡Pero si ya lo _____ (*saber*) todo!

○ Mejor _____ (*quedar*) otro día. Además, _____ (*venir*) un amigo para estudiar conmigo.

● Vale, vale… Entonces nos vemos otro día…

2. Tere y Alicia se cuentan sus planes para el puente.

● ¿Qué _____ (*hacer*) en el puente de la Constitución?

○ Nosotros _____ (*ir*) a París.

● Nosotras _____ (*pensar*) viajar a Londres. Hay ofertas buenísimas, pero no lo hemos decidido todavía.

○ Si _____ (*tardar*) demasiado os quedaréis sin billetes. Mucha gente va a Londres para estas fechas…

● Lo sé, lo sé… Pero Mónica _____ (*trabajar*) ahora en una nueva empresa y no sabe si le darán vacaciones…

3. Pilar quiere cambiarse de casa, hace mucho tiempo que está buscando.

● ¿Todavía _____ (*buscar*) piso?

○ Sí… y no _____ (*encontrar*) nada que me guste.

● ¿Ya has intentado en la página de "Hogar, dulce hogar"?

○ Lo he intentado todo, pero los pisos que me _____ (*gustar*) no los puedo pagar.

● ¿Has puesto algún anuncio en internet?

○ Sí, ya hace tiempo, pero lo quiero _____ (*intentar*) porque creo que ya es demasiado viejo.

● Buena idea. ¡Si _____ (*enterarse*) de algo te lo digo!

3. Acababa de llegar cuando…

A. Relaciona las siguientes frases y completa las formas verbales de la primera columna. ¿Qué tiempo verbal necesitas?

1. El avión _____ (*acabar*) de salir

2. Como _____ (*ir*) a hacer mal tiempo

3. _____ (*pensar*) quedarme el fin de semana en casa trabajando.

4. _____ (*estar*) cenando en casa con unos amigos

5. La semana pasada _____ (*ir*) a subir al autobús, cuando alguien me robó la billetera.

6. _____ (*ir*) a pasar el fin de semana en la sierra

7. ¿No _____ (*pensar*) estudiar un año en Costa Rica?

8. Ángel _____ (*pensar*) quedarse a vivir en Barcelona

9. Susana _____ (*acabar*) de llegar a Madrid con una beca Erasmus

a. Sin embargo, cambié de idea cuando me llamó Pedro para invitarme a su casa de la playa.

b. cuando escuchamos unos gritos. Salimos a ver qué pasaba y eran unos chicos que salían del bar.

c. pero como Paco se enfermó, tuvieron que quedarse en casa.

d. Al principio sí. Pero no nos dieron la beca. Entonces cambiamos de plan y fuimos a Guatemala.

e. El problema fue que no le dieron un contrato de trabajo y tuvo que volver a Montevideo.

f. decidimos no salir de picnic e ir a ver una exposición que acaban de poner en el museo.

g. pero tuvo que volver al aeropuerto porque había un problema con un motor.

h. cuando se dio cuenta de que la habitación que había alquilado no estaba en La Moncloa sino cerca de Barajas.

i. Bajé y corrí a por él. Pero fue más rápido que yo. Encontraron la billetera, pero estaba vacía.

Anota las perífrasis verbales que aprendas en una tabla con su traducción y una frase de ejemplo.

B. Subraya todas las perífrasis verbales que encuentres en las frases del apartado anterior.

4. ¿Qué dice Alberto?

Alberto deja un mensaje en el contestador de Eva, su novia. Escribe cómo se lo cuenta Eva a su amiga en el momento de escuchar el mensaje.

> Hola Eva, lo siento pero hoy no podré ir al teatro. Resulta que ha aparecido el jefe a última hora y tengo que terminar un informe urgentísimo para mañana, ¡uf! Dile a Elisa que me sabe mal, que la llamaré para vernos el fin de semana, ¿vale? Bueno, un beso, hasta luego.

● EVA: Voy a llamar a Alberto para ver cómo quedamos, ¿vale?

(Escucha un mensaje en el contestador y cuelga.)

○ ELISA: Entonces, ¿qué dice Alberto?

● EVA: Pues dice que ....

....

....

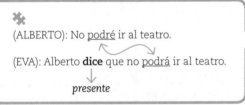

(ALBERTO): No podré ir al teatro.

(EVA): Alberto **dice** que no podrá ir al teatro.

presente

5. Experiencias en el extranjero

A. Observa el ejemplo y marca todo lo que ha cambiado y se ha añadido.

Juan Carlos desde Eslovenia.

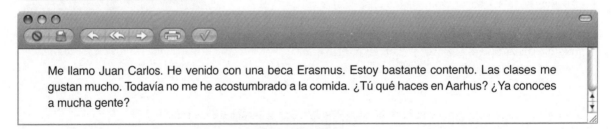

Me llamo Juan Carlos. He venido con una beca Erasmus. Estoy bastante contento. Las clases me gustan mucho. Todavía no me he acostumbrado a la comida. ¿Tú qué haces en Aarhus? ¿Ya conoces a mucha gente?

Luis a una amiga.

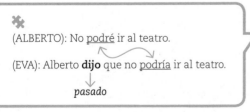

(ALBERTO): No podré ir al teatro.

(EVA): Alberto **dijo** que no podría ir al teatro.

pasado

Me contó que se llamaba Juan Carlos y había venido con una beca Erasmus. Comentó que estaba bastante contento y que las clases le gustaban mucho. Añadió que todavía no se había acostumbrado a la comida y me preguntó qué hacía en Aarhus y si conocía ya a mucha gente.

B. Estas personas están en el extranjero y te cuentan sus experiencias. Transmíteselas a otra persona haciendo los cambios necesarios propios del estilo indirecto, incluyendo los cambios verbales.

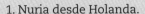 1. Nuria desde Holanda.

Nuria me dijo que...

Si hay algo que me admira es que aquí todo el mundo habla inglés, alemán o español. Los holandeses tienen gran facilidad para los idiomas. Vivo en una residencia de estudiantes que parece Babel. Estoy muy contenta, aunque echo de menos a mi gente. Sé que de aquí me llevaré una experiencia para contarla toda la vida.

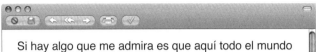 2. José Manuel desde Salzburgo.

José Manuel contó que...

¡Vosotros no sois los únicos que sentís frío! Estoy en Salzburgo con una temperatura de tres grados bajo cero de máxima, así que la mínima no os la digo. Respecto al precio de las cosas, esta es la ciudad más cara de toda Europa. Todavía no me he acostumbrado a la comida. No hay nada como el jamón, los churros, el queso y el chorizo español.

 3. Susana desde el norte de Francia.

Susana afirmaba que...

Para mí la estancia en el extranjero ha sido bastante difícil. He ido al norte de Francia, y me ha resultado bastante difícil hacer amistades; nadie tiene tiempo… Además no he conseguido adaptarme al clima de esta región, que es bastante duro. De todas formas, no me arrepiento de nada de lo que hecho hasta ahora: creo que me servirá para aprender y para enfrentarme a otras situaciones duras en el futuro.

C. Ahora completa esta tabla con la relación entre tiempos verbales en el estilo indirecto en pasado. Corrige, si es necesario, el apartado anterior.

tiempos verbales en estilo indirecto en pasado	
estilo directo	estilo indirecto
Presente →	

6. ¿Te apetece salir?

CD2
16-18

A. Escucha otra vez a las tres personas que van a un congreso en Madrid hablando de sus gustos y aficiones. ¿Con quién saldrías durante un fin de semana?

B. Escríbele un correo electrónico y proponle algunas cosas para hacer juntos en Madrid. Si quieres, puedes volver a escuchar la pista 15 con el programa de Radio Ocio.

7. La montaña

A. Lee el siguiente microrrelato de Virgilio Piñera e imagina un final para el texto.

La montaña tiene mil metros de altura. He decidido comérmela poco a poco. Es una montaña como todas las montañas: vegetación, piedras, tierra, animales y hasta seres humanos que suben y bajan por sus laderas.

Todas las mañanas me echo boca abajo sobre ella y empiezo a masticar lo primero que me sale al paso. Así me estoy varias horas. Vuelvo a casa con el cuerpo molido y con las mandíbulas deshechas. Después de un breve descanso me siento en el portal a mirarla en la azulada lejanía.

Si yo dijera estas cosas al vecino de seguro que reiría a carcajadas o me tomaría por loco. Pero yo, que sé lo que me traigo entre manos, veo muy bien que ella pierde redondez y altura. Entonces hablarán de trastornos geológicos.

He ahí mi tragedia: _____
_____
_____
_____

Virgilio Piñera, "La Montaña", Cuentos Completos, Editorial Letras Cubanas.

B. Lee el final del microrrelato. ¿De qué crees que está hablando este cuento?

...ninguno querrá admitir que he sido yo el devorador de la montaña de mil metros de altura.

8. Fósforos en el bolsillo

A. El siguiente microrrelato es de Julio Cortázar. Léelo y observa cómo encadena las ideas marcadas.

Un cronopio va a abrir la puerta de calle, y al meter la mano en el bolsillo para sacar la **llave** lo que saca es una **caja de fósforos**, entonces este cronopio se aflige mucho y empieza a pensar que si en vez de la llave encuentra los fósforos, sería horrible que el mundo se hubiera desplazado de golpe, y a lo mejor si los fósforos están donde la llave, puede suceder que encuentre la **billetera** llena de **fósforos**, y la **azucarera** llena de **dinero**, y el **piano** lleno de **azúcar**, y la **guía del teléfono** llena de **música**, y el **ropero** lleno de **abonados**, y la **cama** llena de **trajes**, y los **floreros** llenos de **sábanas**, y los **tranvías** llenos de **rosas**, y los **campos** llenos de **tranvías**. Así es que este cronopio se aflige horriblemente y corre a mirarse al espejo, pero como el espejo está algo ladeado lo que ve es el paragüero del zaguán, y sus presunciones se confirman y estalla en sollozos, cae de rodillas y junta sus manecitas no sabe para qué. Los famas vecinos acuden a consolarlo, y también las esperanzas, pero pasan horas antes de que el cronopio salga de su desesperación y acepte una taza de té, que mira y examina mucho antes de beber, no vaya a pasar que en vez de una taza de té sea un hormiguero o un libro de Samuel Smiles.

Julio Cortázar, "La foto salió movida", Historias de cronopios y de famas.

B. Entonces, si en una caja de fósforos tiene que haber fósforos... Relaciona cada contenedor con su contenido.

| llave | caja de fósforos | billetera | fósforos | azucarera | dinero | piano |

| azúcar | guía del teléfono | música | ropero | sábanas | cama | trajes |

| florero | sábanas | dientes | rosas | llavero | boca |

C. Lee esta reseña de *Historias de cronopios y famas*. Según el relato que has leído antes, ¿cómo crees que son los cronopios en este libro?

Historias de cronopios y de famas (1962) es un peculiar e inclasificable libro de relatos y ensayos poéticos estructurado en cuatro partes ("Manual de instrucciones", "Ocupaciones raras", "Material plástico" e "Historias de cronopios y de famas"). Los personajes de estos relatos, clasificados en tres "especies" (los cronopios, las famas y las esperanzas), simbolizan distintas actitudes frente a la vida. Julio Cortázar desenmascara en esta obra el lado absurdo del orden, de la rutina y del aburrimiento y propone un antídoto hecho a base de imaginación, de sentido del humor y de surrealismo.

D. Escribe una reseña de un libro que te haya gustado. No olvides poner al menos los siguientes elementos.

· Título del libro, autor y año de primera edición
· Género de la obra (novela, poesía, ensayo, relatos...)
· Comentario sobre el argumento o contenido
· Valoración personal

9. Instrucciones para...

A. Escribe en cinco pasos las instrucciones para hacer una de estas actividades.

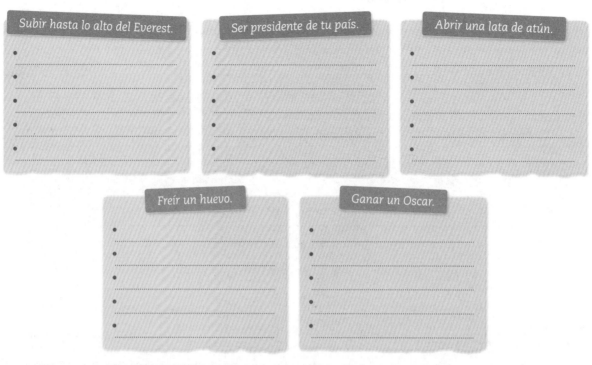

Subir hasta lo alto del Everest.

Ser presidente de tu país.

Abrir una lata de atún.

Freír un huevo.

Ganar un Oscar.

B. Escoge una de estas actividades y escribe las instrucciones en un texto utilizando conectores para organizar el discurso.

· Se ponen...
· Coger un...
· Abre la tapa...

10. Formas de decir: "decir"

A. Aquí tienes una lista de verbos que se pueden utilizar en lugar del verbo **decir**. Colócalos donde creas conveniente. Puede haber más de una opción correcta.

declarar   confesar   responder   pedir   explicar   preguntar

opinar   desvelar   pensar   afirmar   comentar

Bernard me ha dicho que está enamorado de Susana, pero que aún no le ha dicho lo que siente por ella. Está esperando al momento oportuno para decirle si quiere salir con él. Me ha dicho si me parece una buena idea proponerle un plan sencillo como ir al cine. Yo le he dicho que sí, que es una buena idea, y que espero que todo le salga bien. ¿Y tú qué dices?
Espero que este secreto que te acabo de decir no se lo digas a nadie. ¡No me gustaría que Bernard dijera que no se puede confiar en mí!

B. Escribe una frase con cada una de las palabras que te han sobrado.

NOVELA EN 7 CAPÍTULOS / LOURDES MIQUEL

CAPÍTULO 4 **Disfrutar, sorprenderse**

El 29 de octubre amaneció con sol y con buena temperatura. Elsa no había dormido bien entre el cambio horario, los nervios de la entrevista y la altura, que le daba un poco de dolor de cabeza. Pero cuando se despertó y vio el maravilloso día que hacía, decidió ir al Museo Nacional de Antropología[17] y aprovechar para pasear por el bosque de Chapultepec.

Antes de entrar, admiró la arquitectura del edificio, pero ya en el museo se quedó fascinada por la organización y por la cantidad de salas que podían visitarse. Decidió entrar en la sala de los toltecas, entre otras cosas porque le encantaban los nombres: Chichimeca, Teotenango, Xochitécatl... Al cabo de un buen rato, ya en la sala de los mexicas[19], llegó a la impresionante y monumental Piedra del Sol[20]. Mientras la estaba mirando, alguien le tocó el hombro y le dijo:

—¿Qué tal la felicidad? ¿Ya la has encontrado?

Elsa pensó que era una alucinación. Otra más. Pero al darse vuelta, vio que allí estaba su compañero de avión: ese hombre guapísimo con el que apenas había intercambiado unas frases. Y allí, en medio de las momias y los protectores dioses y diosas de los toltecas, aztecas, mexicas, mayas y demás civilizaciones, empezaron a hablar.

Él le explicó que era antropólogo, español pero de origen mexicano, que estaba haciendo la tesis doctoral sobre los instrumentos y herramientas que utilizaban los mexicas. También le contó que pasaba largas temporadas en México para hacer el trabajo de campo y que luego volvía a España para escribir con calma los capítulos de la tesis. Y Elsa le explicó sus planes de estudiar la maestría y su entrevista del día anterior.

—¿Y qué te parece si, en lugar de hablar aquí, entre tantos dioses que nos vigilan, vamos al bosque y tomamos algo cerca del lago? —le propuso el chico.

—Perfecto. Encantada. Pero antes de hacer algo juntos, estaría bien saber cómo nos llamamos, ¿no? Yo me llamo Elsa.

—¿Elsa? ¡Qué nombre tan bonito! ¿Por qué te lo pusieron?

Y Elsa le contó que a su abuela le encantaba la ópera y, especialmente, Wagner, y que, cuando ella nació, fue su madrina y eligió el nombre de Elsa porque era la protagonista femenina de Lohengrin y porque, además, empezaba por "e" igual que sus apellidos.

—¡Qué interesante! Pero suerte que no te puso Isolda.

—Muy gracioso... Bueno, ¿y cómo te llamas tú? —le preguntó Elsa.

—Eduardo.

Se quedó sin respiración. "¡Oh, no! Otro Eduardo en mi vida, noooooooooo". Pero, tuvo buenos reflejos, sonrió y no hizo ningún comentario. Un nombre no significaba nada. O eso suponía.

Después de almorzar en un lujoso restaurante junto al lago, se despidieron:

—Tengo que seguir trabajando en el museo para acabar de estudiar y de fotografiar algunas piezas. ¿Quieres que nos veamos esta noche?

Elsa aceptó y Eduardo le dijo que la recogería en el hotel.

---

[17] Considerado el mejor museo de antropología del mundo.

[18] Civilización surgida en la ciudad de Tula, en el año 950. Hay una leyenda que los describe como una tribu que viene del norte conducida por un rey llamado Miscoatl.

[19] Civilización que parece que procedía de una parte de los aztecas y que fundaron la ciudad de Tenochtitlan o México, que ahora es la Ciudad de México.

[20] La Piedra del Sol es una escultura que ilustra el calendario azteca, compuesto por meses de 20 días. Tiene jeroglíficos y símbolos del sol, como rayos y piedras preciosas.

Por la tarde Elsa siguió paseando por la ciudad. Fue a visitar la catedral y el Zócalo[21] y se dio cuenta de que toda la ciudad se estaba preparando para la gran fiesta del día 2, el Día de los Muertos[22]. Había un mercadillo al aire libre especial para eso, lleno de calaveritas de azúcar con el nombre de la gente, de esqueletos vestidos de cualquier cosa, de ataúdes, de papeles recortados de todos los colores... Todo preparado para hacer ofrendas a sus muertos y para reírse de la muerte. Mientras estaba delante de la catedral pensando, como buena arquitecta, que el edificio iba a durar poco tiempo si no lo restauraban urgentemente, pasó una moto a toda velocidad y desde la moto el conductor le dijo:

—Bye[23], Elsa. Gusto en verte.

Lo había oído bien. Le habían dicho su nombre. Y empezó a correr detrás de la moto, pero no la alcanzó. Empezó a pensar que, cuando volviera a casa, tendría que pedir cita con el psicólogo. En la esquina se tomó el primer tequila del día.

A las ocho de la noche, Eduardo llegó al hotel y tomaron un taxi para ir a la Plaza Garibaldi[24].

—Te va a encantar. Es algo único. No te lo puedes perder.

Y lo era. La plaza estaba rodeada de enormes cantinas, con gente cenando y tomando todo tipo de bebidas alcohólicas. Pero, sobre todo, estaba llena de grupos de mariachis, con sus brillantes trajes y enormes sombreros, que, por unos cuantos pesos, cantaban las canciones que les pedía el público.

—¿Cuál es tu canción preferida? —le preguntó Eduardo, dándole otro tequila.

—"Volver".

Y unos segundos después Elsa y Eduardo tenían delante a cinco mariachis que, solo para ellos dos, tocaban y cantaban:

"*Y volver, volver, vooooooooolver... a tus brazos otra vez...*". Siguieron las canciones y los tequilas y cuando Eduardo la sacó a bailar, Elsa se sintió muy bien entre los brazos de su Moctezuma[25] particular. Y todavía se sintió mejor cuando se besaron suavemente mientras los mariachis cantaban: "*Me gustas mucho. Me gustas mucho tú. Tarde o temprano seré tuya, mío tú serás*".

En el taxi de vuelta al hotel Elsa no dijo nada y estuvo pensando si se sentía o no preparada para una nueva relación. Decidió que era demasiado pronto y, por eso, al llegar a la puerta del hotel, se despidió rápida y fríamente:

—Gracias por todo, Eduardo. Lo he pasado muy bien.

Cuando subió a su habitación del hotel, se puso a pensar que igual había sido un poco antipática con él, pero no sabía cómo conciliar sus ganas de ligar con él y su miedo a empezar otra relación. Encima de la cama había un sobre. Lo abrió y vio una nota que ponía:

> Elsa:
> Por casualidad he visto que estás en este hotel y no sé por qué. Tenemos que hablar. Es realmente urgente.
> Mateo

No esperó ni un segundo y marcó el número del móvil[26] de Eduardo.

---

[21] Es la principal plaza de la Ciudad, en realidad llamada Plaza de la Constitución, aunque todo el mundo la llama Zócalo. Es una de las plazas más grandes del mundo.

[22] El Día de los Muertos es una de las fiestas más importantes de México, que se celebra el 2 de noviembre. Días antes se venden todo tipo de productos relacionados con la muerte para crear altares y ofrendas en casa. El día 1 se cree que los niños muertos regresan, la noche del 1 al 2 se suele estar en los cementerios, y el 2 se cree que vuelven las almas de los adultos fallecidos para estar con sus seres queridos.

[23] Bye es un término del inglés que, sin embargo, se utiliza en algunos países del continente americano entre jóvenes para despedirse. En México, con más frecuencia, puesto que hay más influencia del inglés.

[24] Plaza muy popular en el centro de la Ciudad de México donde, de noche, se reúnen grupos de mariachis para ser contratados para cantar allí mismo o para ir a alguna celebración. La plaza está rodeada de cantinas y restaurantes.

[25] Rey mexica, desde 1502 hasta 1520, que consiguió el máximo esplendor de su civilización.

[26] Excepto en España, en el resto de países de habla española se utiliza la palabra "celular".

El amor es ciego

1. Elige un pronombre

A. Elige uno de los pronombres para unir las frases de este relato.

Esto es algo quien / que me contaron hace mucho tiempo, donde / cuando vivía en Suiza, que / donde tenía un amigo cuya / que familia tenía un restaurante que / quien tenía mucho éxito. El restaurante, que / cuya especialidad era el pulpo a la gallega, estaba abierto desde los años 60, que / cuando el padre de mi amigo llegó a Suiza para trabajar. Allí entró como camarero en un hotel de Berna, y al cabo de dos años ya abrió un pequeño restaurante quien / donde se ofrecía comida española y, en especial, de Galicia, de que / donde era ese hombre.

El restaurante tuvo un éxito enorme, porque allí iban muchos inmigrantes españoles quien / que habían llegado a ese país hacía poco tiempo y tenían ganas de encontrarse con otros españoles y de saborear la comida de su país, al que / quien tanto echaban de menos. Pero muchos de ellos, quien / que siempre se acordaban de su pueblo, que / adonde pensaban volver, encontraron novias en Suiza, con cuyas / quienes se casaron y tuvieron hijos. Mi amigo era uno de esos hijos...

B. Escribe un final para la historia.

2. Morriña

A. ¿Sabes qué significa el término **morriña**? Infórmate en internet o búscalo en un diccionario.

B. El siguiente texto explica la situación de una persona que tiene morriña. Complétalo con estos pronombres de relativo en la forma adecuada.

> adonde   donde   cuyo   que

Juan,   padres se llaman Juan y Juana, vino a vivir a Barcelona en 2010 desde Buenos Aires, de   nunca tuvo que haber salido, según sus propias palabras. Juan vive   antes vivían sus abuelos y va cada día a trabajar al bar Antic, que es el bar   voy yo a leer. Allí lo conocí hace ya unos meses. El camarero jefe,   me lo presentó entonces, me dijo que Juan era un tipo peculiar. Echaba de menos su ciudad natal,   bares, según decía siempre Juan, tenían esa atmósfera especial de la capital argentina, de una bohemia auténtica y, lo que es más importante, ¡a unos precios más bajos!

3. Relativos

A. Une estas frases transformándolas en oraciones de relativo explicativas. Añade comas si corresponde.

1. Los mexicanos y mexicanas sin pareja gastaron un promedio anual de 1100 dólares en citas para encontrar a su media naranja. Los mexicanos y mexicanas sin pareja constituyen aproximadamente una quinta parte de la población del país.

   ....
   ....
   ....

2. Según una encuesta elaborada por Match.com el 67% de los hombres afirma que en el futuro se ve casado y con hijos. Match.com es una prestigiosa agencia de contactos.

   ....
   ....
   ....

3. La institución de la familia ha experimentado cambios a lo largo de la historia. La institución de la familia ha dejado de ser algo sagrado e indestructible.

   ....
   ....
   ....

4. Cristina Peri Rossi es poeta, narradora y traductora. Cristina Peri Rossi nació en Uruguay en 1941 y se trasladó a España en 1972.

   ....
   ....
   ....

13

B. Une estas frases transformándolas en oraciones de relativo especificativas.
Añade comas si corresponde.

1. Al volverse vio a un chico guapísimo. Ese chico le ofrecía un chicle de menta.

2. Una encuesta de Match.com trata sobre el valor de la familia. Según la encuesta elaborada por Match.com el 67% de los hombres afirma que en el futuro se ve casado y con hijos.

3. Conociste a una familia de ingleses el año pasado. La familia de ingleses va a volver a alquilar la casa de los Rodríguez este verano.

4. Alguien en quien confiar

Transforma las frases poniendo la forma correcta de quien. Subraya las palabras que desaparecen en la nueva frase.

1. Si tienes un amigo en el que confiar, tienes una de las cosas más importantes de la vida.

   Si tienes un amigo en quien confiar, tienes una de las cosas más importantes de la vida.

2. Dicen que los estudiantes holandeses son los que aprenden lenguas más fácilmente.

3. Hay personas para las que hacer un examen es un problema.

4. El chico del que te hablé para trabajar en la película es un músico húngaro.

5. Las protagonistas de la historia son unas niñas a las que les pasan muchas cosas interesantes.

6. A las personas que quieran estudiar en América Latina, les recomiendo esta guía.

7. Los que prefieran hacer el trabajo escrito en lugar del examen deben pasar por mi despacho.

Igual que los deícticos (este, aquí...), los conectores y los pronombres personales, los **pronombres de relativo** sirven para cohesionar el discurso y facilitar la comprensión. Ahora que sabes cómo se usan, ¡no los olvides!

ciento quince › **115**

5. ¡Así no hay quien lo entienda!

A. Observa las diferencias entre el primer y el segundo párrafo. Subraya, en el segundo, las palabras que sirven para no repetir palabras que ya se han dicho.

> A la mamá de Silvia no le gusta Javier. Silvia está saliendo con Javier. Javier no le gusta a la mamá de Silvia porque estudia Literatura. Con la carrera de Literatura nunca podrá ganar dinero. Esto a Silvia no le preocupa nada en este momento.

> *A la mamá de Silvia no le gusta Javier, el <u>chico con el que</u> está saliendo ella, porque estudia Filología, una carrera con la que nunca podrá ganar dinero, lo que a Silvia no le preocupa nada en este momento.*

B. Une las frases con pronombres relativos. Haz los cambios necesarios para que la frase esté bien cohesionada y se entienda mejor.

1. Una amiga mía tiene un novio africano. Mi amiga conoció a su novio en Marrakech. Mi amiga estuvo en Marrakech de vacaciones. Marrakech es una ciudad. La ciudad le encantó.

   ....

2. Me preparé para el examen. El examen era demasiado difícil. El examen contenía preguntas. No pude contestar las preguntas del examen.

   ....

3. Anoche, en una fiesta, me encontré con un chico. Yo había ido a la escuela con ese chico. El chico está casado con una pintora italiana. Los padres de la pintora italiana me conocen.

   ....

Los **pronombres recíprocos** y los **pronombres reflexivos** tienen las mismas formas. Fíjate en el contexto para saber si el sujeto realiza la acción sobre sí mismo (pronombre reflexivo) o si dos o más sujetos realizan la acción el uno sobre el otro (pronombre recíproco).

6. ¿Recíprocos o reflexivos?

A. ¿Quién realiza la acción sobre quién en estas frases? Márcalo con flechas como en el ejemplo y di si los verbos son reflexivos o recíprocos.

1. <u>Mi abuela</u> es muy mayor, pero todavía <u>se viste</u> y <u>se peina</u> sola. (*reflexivos*)

2. <u>Andrés</u> y <u>Maren</u> <u>se escriben</u> cartas de amor. (*recíproco*)

3. <u>Juan</u> y <u>Marzia</u> <u>se despiertan</u> a la misma hora.

4. <u>Mi marido</u> y <u>yo</u> <u>nos despertamos</u> con un beso todas las mañanas.

5. Por las mañanas, <u>Susana</u> viste primero a sus hijos y después, mientras ellos desayunan, <u>se viste</u> ella.

6. <u>Javier</u> y <u>Alessandra</u> están enamorados: <u>se besan</u>, <u>se acarician</u> y <u>se abrazan</u> todo el día.

7. En las vacaciones <u>Ana</u> y <u>Tomás</u> <u>se bañaron</u> en el mar todos los días.

B. **Vuelve a escribir estas situaciones usando pronombres recíprocos.**

1. Los niños besaron a su padre y él también los besó para despedirse.

   Los niños y su padre se besaron para despedirse.

2. Carlos maquilla a Vicky y ella lo peina a él para ir a una fiesta de Carnaval.

   Vicky y Carlos .... para ir a una fiesta de Carnaval.

3. Mi papá conoció a mi mamá hace treinta años; mi mamá lo quiere mucho y él también a ella.

   ....

4. Yo vivo con una chica que estudia en otra ciudad. Solo la veo los sábados y domingos.

   ....

7. Problemas sentimentales

A. **Gabriel ha escrito a una revista de autoayuda y crecimiento personal.**
Completa sus frases con las formas verbales adecuadas.

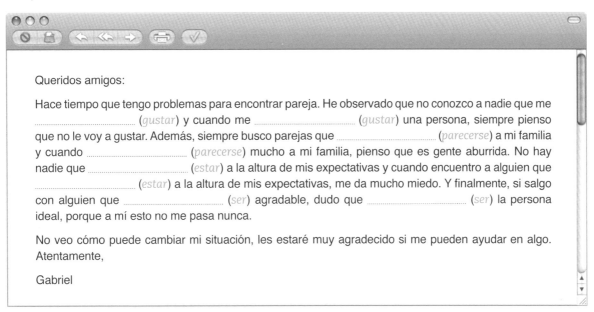

Queridos amigos:

Hace tiempo que tengo problemas para encontrar pareja. He observado que no conozco a nadie que me .... (*gustar*) y cuando me .... (*gustar*) una persona, siempre pienso que no le voy a gustar. Además, siempre busco parejas que .... (*parecerse*) a mi familia y cuando .... (*parecerse*) mucho a mi familia, pienso que es gente aburrida. No hay nadie que .... (*estar*) a la altura de mis expectativas y cuando encuentro a alguien que .... (*estar*) a la altura de mis expectativas, me da mucho miedo. Y finalmente, si salgo con alguien que .... (*ser*) agradable, dudo que .... (*ser*) la persona ideal, porque a mí esto no me pasa nunca.

No veo cómo puede cambiar mi situación, les estaré muy agradecido si me pueden ayudar en algo. Atentamente,

Gabriel

B. **Dale algunos consejos a Gabriel sobre las relaciones.**

✳
Consejos
· Cuando conozcas...
· Intenta (no) pensar...
· Procura que ... + Subjuntivo
· Si quieres..., + Imperativo

8. Encuesta sobre la familia

A. Lee este artículo que explica los resultados de una encuesta. ¿Sobre qué temas preguntó el Centro de Investigaciones Sociológicas a los españoles? ¿Cuál de estos temas se trata en el artículo?

Para el 46% de los españoles, la mujer debe renunciar al trabajo antes que el hombre

Casi la mitad de los españoles –el 45,7%– considera que debería ser la mujer la que trabajase menos horas para ocuparse de los hijos y del hogar, frente a un 1,8% que opina que debería hacerlo el hombre, en el supuesto de que uno de los dos miembros de la pareja se viera obligado a tomar esta decisión.

Respuesta 1

Así se desprende del barómetro de septiembre del Centro de Investigaciones Sociológicas (CIS), realizado sobre una muestra de 2500 entrevistas a mayores de 18 años, en el que se recogen las opiniones de los españoles sobre los problemas del país y la familia. Para un 20,9% cualquiera de los miembros de la pareja "indistintamente" podría tomar la decisión de mermar su actividad laboral, mientras que un 10,2% piensa que tendría que hacerlo el que tenga un trabajo peor remunerado.

Cuando se pregunta a los españoles por qué modelo de familia es el ideal, un 67,6% manifiesta que es aquella en la que los dos miembros de la pareja tienen un empleo remunerado, con parecida dedicación, y ambos se reparten las tareas del hogar y el cuidado de los hijos, si lo hay. Un 14,7% defiende, como ideal, la familia en la que solo trabaja un integrante de la pareja y el otro se encarga del cuidado del hogar y de la eventual prole.

Respuesta 2

El español considera lo más importante de su vida la salud y la familia, por este orden, al puntuarlas con un 9,64 y un 9,54 en una escala del cero al diez, respectivamente. De hecho, el 44% sostiene que la familia es lo más importante en su vida, aunque las relaciones de pareja solo las destaca el 4,7%.

Respuesta 3

www.20minutos.es, 11.10.2010

B. Escribe las preguntas que podría haber hecho el CIS para obtener las respuestas marcadas en el texto.

Pregunta 1: ....

Pregunta 2: ....

Pregunta 3: ....

C. ¿Cómo respondes tú a las preguntas? ¿Estás de acuerdo con las respuestas de la mayoría de los españoles?

9. En otras palabras

A. Lee este poema. ¿De qué tipo de relación habla?

Querer a Irene

Sé que te quiero
porque no sé por qué te quiero. **El amor**
se inventó en una sala
sin cartabones ni escuadras.

Piensa en cómo disminuye un coche cuando se aleja.
Piensa en cómo te agrandas y te vuelves importante
cuando te alejas.

Cuando tú estás triste
o enferma
a mi corazón
le hace un agujero un gusano de angustia.

Qué paz cuando estás contenta –no ocurre otra cosa
[cuando lo estás.
Cuando ríes
me parece que las calles son un gato que cierra los
[**ojos y relaja las garras bajo el sol.**
Siempre estoy a la espera
de que rías.
Deberías oír tu risa y disfrutarla
como lo hago yo.

Tu risa, ese
pájaro al que le han cosido tu voz.

Iván Legrán, http://ernestomeobligo.blogspot.com, 2011

B. Intenta explicar, con tus propias palabras, lo que quieren decir
las metáforas marcadas.

10. Las mil caras del amor

A. Hay tantas maneras de amar como personas en el mundo. Agrupa las siguientes
palabras en las columnas. Algunas palabras pueden ir en más de una columna.

pasional · monótona · aburrida · convencional · estable · de película · difícil · con altibajos · temporal · informal · sexual · intermitente · tradicional · duradera · infiel · fiel · abierta · soltera · comprometida · casada · libre · independiente · dependiente · necesitada · romántica · realista

Una persona puede ser / estar...	Una relación puede ser...

CD2
19-21

B. Escucha a estas tres personas que nos explican sus ideas sobre las relaciones
sentimentales. ¿Qué adjetivos usarías para definir a las personas y a las relaciones
de las que hablan?

C. ¿Cómo eres tú? ¿Cómo te relacionas? Descríbelo usando los adjetivos anteriores
u otros que conozcas.

11. Manos que hablan

A. Muchas expresiones y frases hechas contienen la palabra **mano**. ¿Puedes relacionarlas con los significados de la columna de la derecha?

1. en buenas manos

2. dar/echar una mano

3. tener/con mano dura

4. lavarse las manos

5. echar mano (a alguien o a algo)

6. con la mano en el corazón

7. (tener/con) mano izquierda

8. estar mano sobre mano

9. de segunda mano

a. Esto hizo Poncio Pilatos como señal para liberarse de la responsabilidad de condenar a Jesucristo.

b. Capturar a alguien o algo que se mueve.

c. Habilidad para resolver situaciones complicadas.

d. sin hacer nada.

e. Prestar ayuda.

f. Con sinceridad total.

g. Tratar a personas o animales de forma estricta.

h. Usado por otra persona.

i. A cargo de alguien que va a tratar bien a alguien o a hacer un buen uso de algo.

B. Coloca las frases del ejercicio anterior en los espacios siguientes. A veces tendrás que conjugar los verbos o usar con pronombres.

1. Llevas dos días .... ¡A ver si te pones a lavar los platos de una vez! Ya no se puede entrar a la cocina.

2. El examen fue difícil, por eso la profesora .... y no puso tan malas notas como nos esperábamos.

3. El gato se escapó de casa, pero conseguí .... en la esquina. ¡Suerte que no cruzó la calle!

4. Tú ya eres mayor y yo no soy quién para decirte cómo debes comportarte; haz lo que te dé la gana; yo ....

5. Para tratar a nuestro jefe hay que tener mucha ...., no basta con hacer bien el trabajo.

6. Como decía siempre mi padre: "A veces hay que tener .... con los niños".

7. Te lo digo .... : nunca quise ofenderte con mis palabras.

8. Por fin hemos encontrado un médico que nos gusta, creo que ahora estamos ....

9. Ernesto se ha comprado un monopatín ...., ¡espero que no se le rompa!

NOVELA EN 7 CAPÍTULOS / LOURDES MIQUEL

CAPÍTULO 5 **Viajar, enamorarse**

Otra noche sin dormir. Pero esta vez realmente preocupada e inquieta por saber qué estaba pasando exactamente, por qué la conocían algunas personas que ella no conocía, y por qué otras la buscaban...

Y también preocupada, muy preocupada, porque reconocía los síntomas de una enfermedad peligrosísima, llamada "enamoramiento". Hacía tiempo que no la sentía, pero cuando se descubrió mirando el reloj para ver cuántas horas tardaría en volver a ver a Eduardo, cuando vio que miraba continuamente el móvil para ver si había un sms o una llamada suya, cuando se dio cuenta de que solo pensaba en ese hombre, perfecto desconocido, que la atraía totalmente, tuvo que aceptar que tenía todos los síntomas de esa enfermedad casi mortal.

Cuando la noche anterior llamó a Eduardo, no le explicó lo desconcertada que estaba con la nota que había recibido y cuyo contenido seguía siendo un misterio para ella, sino que se excusó por haber estado un poco seca al despedirse y le dijo que tenía ganas de verlo hoy. Eduardo le dijo que tenía que trabajar toda la mañana pero que intentaría cambiarlo. A las nueve de la mañana sonó el móvil y era Eduardo:

—Ponte unos zapatos cómodos, que nos vamos de viaje. ¿Te apetece[27]?

—¿No me vas a decir dónde vamos?

—¿No me vas a dejar darte una sorpresa?

Sí, Elsa reconocía todos los síntomas: auténtico coqueteo.

A las nueve y media en punto, en la puerta del hotel, estaba Eduardo con un coche bastante antiguo y destartalado.

—Es de un amigo que me lo ha prestado. Creo que podrá llevarnos a nuestro destino. ¿Te atreves a subir? Nos vamos a dar una vuelta por el Sol y por la Luna.

—Caramba. Suena misterioso y prometedor.

Sí, Elsa reconocía todos los síntomas también en él. Y se acordó de lo que había pensado en el avión cuando lo vio por primera vez, porque hoy el viaje tampoco estaba empezando mal, nada mal.

El coche no prometía nada bueno, pero, sin embargo, consiguió recorrer los cincuenta kilómetros que separan la Ciudad de México de Teotihuacán[28]. Durante el viaje Eduardo le explicó la historia de la ciudad, de la que Elsa sabía algunas cosas que había leído en la guía.

Cuando llegaron, Elsa se quedó admirada no solo del encanto de las pirámides sino también del color de la tierra que las rodea.

—Mira, te propongo algo mágico: vamos a intentar subir a la Pirámide del Sol para llegar a la cima justo al mediodía —le dijo Eduardo—. Espero que no tengas vértigo.

"Cuando uno está ligando no se cuentan las miserias", pensó Elsa, que tenía bastante vértigo pero que estaba dispuesta a aguantárselo. Antes de subir, tomaron una bebida de planta de magüey que, según Eduardo, daba mucha energía.

Empezaron a subir escalón tras escalón mientras Eduardo le contaba los misterios de la civilización teotihuacana.

—Piensa que los nombres que conocemos se los pusieron los aztecas, que es una cultura muy posterior y distinta a aquella. Para los aztecas esto era un lugar sagrado y le pusieron este nombre, que significa algo así como "el lugar donde los hombres se convierten en dioses"...

Elsa se quedó con esa frase y empezó a sentirse como una diosa mientras subían y subían. A las doce en punto llegaron a la cima. La alegría de haber subido, la vista, la energía que había allí arriba, la luz, todo se juntó. Elsa, la diosa venida del otro lado, miró a Eduardo, el dios que voló con ella, y se besaron apasionada y escandalosamente mientras los turistas los fotografiaban.

---

[27] El verbo "apetecer" se utiliza mucho en España. No tanto en el resto de los países hispanohablantes.

[28] Teotihuacán es una importante zona arqueológica con los restos de la ciudad mexica de ese nombre, que significa "ciudad de los dioses". Destacan la Pirámide del Sol y la de la Luna.

—Aquí, en este cuadradito —le dijo Eduardo—, dicen que si pides un deseo, se te concede.

—Pues pido que lleguemos enteros abajo... —dijo Elsa mientras se echaba a reír.

Un rato después se animaron a subir a la Pirámide de la Luna, algo más pequeña, pero igualmente mágica, y allí siguieron con la magia, besándose como locos, y la bajaron cogidos de la mano y abrazándose a cada poco.

"Suerte que no me sentía preparada para una nueva relación...", pensó Elsa con ironía, "y suerte que no hay más astros a los que adorar porque me están temblando las piernas de tantas emociones y de tantos escalones".

Cuando estaban llegando al Palacio de Quetzalpapálotl, un vendedor se les acercó y les ofreció algunos souvenirs. Elsa vio cómo Eduardo le compraba algo:

—Toma, Elsa, para ti. Es una piedra obsidiana. Aquí dicen que atrae la buena suerte. Y yo quiero que nuestra relación nos traiga suerte a los dos.

Elsa la cogió y la apretó muy fuerte. Lo abrazó, lo besó, le cogió la mano y observó sus constantes vitales: "Pulso 120, ligera taquicardia, problemas de hiperventilación. Completamente enferma. Que los dioses teotihuacanos, otomíes, toltecas y aztecas[29] nos protejan".

Fueron a comer a un restaurante instalado entre las piedras de una inmensa gruta. El ambiente era algo turístico pero muy colorista y romántico: mesas con velas, contraluces, penumbra...

—Pidamos algo que no sea muy picante —le dijo Elsa, que temía hacer un ridículo semejante al del otro día en Coyoacán.

Comieron un mole de guajolote[30] delicioso mientras se cogían las manos y se acariciaban. Hablaron de sus familias, de sus biografías, de sus aficiones, de sus planes. Se sentían bastante compatibles. Sin embargo, Elsa evitó hablar de su otro Eduardo, ese que estaba desapareciendo por momentos de su memoria. No era el momento. En los postres, mientras se tomaban a medias una torta de elote[31], decidió explicarle lo que le estaba pasando:

—Mira, Eduardo, apenas nos conocemos y a lo mejor piensas que estoy loca..., pero, desde que llegué aquí, me está pasando algo muy raro: no paro de encontrarme gente totalmente desconocida que me saluda por la calle diciéndome mi nombre. Al principio pensé que todo eran imaginaciones mías por el jet-lag, el cansancio, los nervios... . Pero ayer, cuando llegué al hotel, me encontré esta nota.

Y se la dejó ver a Eduardo.

—¿Y no conoces a este Mateo?

—Ni a este Mateo ni a ninguna de las personas que me han reconocido... Me estoy empezando a poner nerviosa con este tema. Incluso me da un poco de miedo... No sé, intento no ponerme paranoica, pero me inquieta mucho todo esto.

—A ver, pensemos... Dos cabezas como las nuestras tienen que poder resolver el misterio.

Y se besaron de nuevo y volvieron a Ciudad de México, en medio de un gran atasco o "congestionamiento", como decían en México, y a las tantas llegaron al hotel y, esta vez, Elsa no despidió a Eduardo en la puerta.

---

[29] Se refiere a una serie de civilizaciones que supuestamente pasaron por Teotihuacán.

[30] Plato típico mexicano, muy elaborado y poco conocido fuera de México, a base de carne de pavo (guajolote en México) o de pollo, con gran variedad de ingredientes y especias, que se suele comer en las grandes ocasiones. Hay de muchos tipos: el mole poblano (de la ciudad de Puebla), el mole rojo, el verde, el negro,...

[31] Dulce típico mexicano. "Elote" significa "maíz". En otros países, como en Chile, se llama "choclo".

Mundo sin fronteras

B1+

1. El mundo, hoy

A. Completa estas frases con el sustantivo correspondiente, como en el ejemplo.

1. Es necesario que los estados **incorporen** la perspectiva de género a las políticas de integración.

   Dicha *incorporación* mejoraría considerablemente la situación de las mujeres inmigrantes.

2. **Luchar** contra la discriminación, el racismo y la xenofobia es un deber del Estado; sin embargo, esa .... también es responsabilidad de todas las ciudadanas y todos los ciudadanos y no solo de los gobiernos.

3. **Cooperar** con el desarrollo de la economía de algunos países sería beneficioso para todo el mundo. Dicha ...., además, no solo debería tener lugar a nivel económico sino también educativo.

4. **Emigrar** es, en la actualidad, el destino de millones de personas; por eso se puede decir que la .... es el gran tema de nuestra época.

5. El desempleo en América Latina **ha crecido** y **sigue creciendo**. Ese .... es uno de los factores que explica el aumento de la cantidad de emigrantes.

6. Estados Unidos es el país que más inmigrantes **ha recibido** durante los siglos XX y XXI; pero España, a partir de los años 90 ha sido uno de los principales .... de inmigrantes de América Latina.

7. **Consumir** drogas y videojuegos son tendencias que caracterizan a una parte de la juventud actual, aunque dicho .... no es igual en todos los países.

8. **Abrazarse, besarse y acariciarse** son expresiones de amor y amistad entre los seres humanos. Los ...., los .... y las .... representan también maneras de saludarse en muchas culturas.

9. En algunos países europeos las parejas homosexuales pueden **adoptar** niños. En España, por ejemplo, estas parejas tienen los mismos derechos que las parejas heterosexuales: el derecho de .... y el de herencia.

B. Marca en los sustantivos que has escrito cuál es su terminación.

2. Apus en la Tierra

Lee las siguientes frases y elige el conector adecuado al contexto.

1. Apus había nacido en el cosmos, así que /
porque / es que ese espacio sin principio ni fin
era para ella muy familiar.

2. Comenzó a investigar cuando / por eso / en
cambio vio a las figuras torpes que salían de los
objetos voladores.

3. No sabía que los objetos móviles podían hacer
cosas tan diferentes hasta que / antes de /
hasta llegó al planeta redondo y azul, que
llamaban Tierra.

4. Tenía muchas ganas de visitar la Tierra, en
cambio / aunque / por eso ya había leído en
algún lado que en ese planeta había muchos
problemas.

5. Su sorpresa fue enorme cuando / así que /
como le pidieron algo que llamaban pasaporte
y que lógicamente, no tenía.

6. Pusieron a Apus en una nave sin decirle adónde iba, porque / por eso / para que
ella comprendió rápidamente que la querían echar de la Tierra.

3. Trabajos académicos

**Estas frases pertenecen a trabajos académicos. Vuélvelas a escribir usando
el se impersonal para que sean más adecuadas a este tipo de textos.**

1. En el segundo capítulo hacen referencia a las construcciones impersonales.

....

2. Estas teorías deben interpretarlas pensando en la fecha en que se publicaron.

....

3. No puedes entender el multiculturalismo si no entiendes la idea de democracia.

....

4. Consideran que la migración es un fenómeno que se puede controlar.

....

5. En la conclusión resumiré las ideas más importantes.

....

6. Primero, presentaremos el problema, después, explicaremos sus causas y consecuencias y, para
finalizar, expondremos las conclusiones.

....

7. Si comparan las dos versiones, verán que la segunda contiene algunos errores.

....

 En los textos
académicos
el uso del **se
impersonal**
es muy
frecuente, ya
que permite
no poner
sujeto y así
dar un tono
más objetivo
al discurso.

4. Es una amiga mía

Completa estos diálogos con pronombres posesivos tónicos. A veces tendrás que añadir el artículo correspondiente.

1. ▢ No recuerdo dónde he dejado la bolsa de los cosméticos.

   ⬤ Hay una sobre la mesa de la cocina…

   ▢ Esa es roja. .... es violeta.

2. ▢ ¿De quién son estas llaves?

   ⬤ Son ...., son mis llaves del coche. ¡Menos mal que las has visto!

3. ▢ Acabo de comprar las tres entradas para el concierto. Esta es la mía, esta es .... y esa es la de Pilar.

4. ▢ ¿Sabes dónde está Pilar?

   ⬤ Ni idea. Pero hay un par de cosas .... en la oficina, así que todavía no se ha ido a casa.

5. ▢ ¡Pablo y Carmen han comprado un piso!

   ⬤ ¡Qué bien! ¿Y cómo es?

   ▢ No es tan grande como .... y el mío, pero tiene mucha luz.

6. ▢ Mira, me he comprado estos pantalones en una tienda de segunda mano.

   ⬤ Yo también he salido de compras…

   ▢ A ver… ¡Vaya! Mis pantalones serán nuevos, pero .... son mucho más bonitos…

5. Pienso salir aunque haga mal tiempo

A. **Escribe los verbos en la forma adecuada: ¿necesitas el Indicativo o el Subjuntivo? En algunas frases funcionan las dos opciones.**

1. Mis amigos están preparando una fiesta al aire libre y dicen que aunque ahora .... buen tiempo, es mejor no poner todas las mesas en el jardín. (*hacer*)

2. Mis amigos están preparando una fiesta al aire libre y dicen que aunque .... mal tiempo, igual harán la fiesta en el jardín. (*hacer*)

3. La gente joven sigue emigrando al extranjero, a pesar de que las oportunidades económicas de nuestro país .... mejorando. (*seguir*)

4. La gente joven seguirá emigrando al extranjero, a pesar de que las oportunidades económicas de nuestro país .... (*cambiar*)

5. Aunque le .... mucho dinero, la juventud española, igual que hicieron sus padres, invierte gran parte de su sueldo en la compra de una vivienda. (*costar*)

6. A pesar de que me .... muchísimo, voy a empezar a ahorrar para comprarme una casa. (*costar*)

7. Este trabajo tienes que terminarlo hoy, aunque .... que quedarte toda la noche despierto. (*tener*)

8. A pesar de que .... solo seis horas por las noches y estudio todo el día, no creo que pueda terminar el trabajo. (*dormir*)

9. Si bien .... verdad que la fuga de cerebros es un peligro para las naciones, los gobiernos no parecen preocuparse demasiado por este fenómeno. (*ser*)

> ⚠ Cuando nos referimos al futuro con expresiones como **aunque, sin embargo, a pesar de**… usamos el Subjuntivo.

B. **Vuelve a leer las frases y responde: ¿ya ha sucedido o todavía no? ¿Qué forma verbal has usado en cada caso?**

6. Historia de un pueblo

A. España es un país que, en la historia reciente, ha sido emisor y receptor de inmigrantes. ¿Sabes cuáles son estos momentos en el siglo XX? Investígalo antes de leer el artículo.

B. En este artículo se habla de un estudio sobre el tema aparecido recientemente. Anota al lado de cada párrafo la idea principal.

1. Un estudio afirma que la mayoría de los emigrantes españoles de los años 60 eran ilegales.

LA MITAD DE LOS EMIGRANTES ESPAÑOLES DE LOS 60 ERAN "SIN PAPELES"

Es lo que asegura un estudio de la Universidad San Pablo-CEU de Madrid. A pesar de que el gobierno de Franco organizó la emigración, apenas la mitad de los españoles que fueron a Europa en los años sesenta lo hicieron con contrato y de forma legal.

La profesora Blanca Sánchez Alonso[1], responsable del trabajo, rompe también otros mitos que existen en nuestro país sobre el tema de la inmigración, al asegurar que los "sin papeles" no roban el trabajo a los españoles y que su efecto económico sobre la Seguridad Social es relativo.

El estudio analiza la inmigración española desde una perspectiva histórica: trata el fenómeno durante los siglos XIX y XX. Además, quiere servir para predecir la tendencia de la ola migratoria que hoy llega a España. La realidad de que hasta los años setenta había habido emigrantes ilegales españoles ya se había contado en libros, estudios y varias entrevistas de los propios trabajadores.

Sánchez Alonso niega además que los inmigrantes ignoren la realidad que van a encontrar en el país de destino. Y explica que "en los sesenta la información circuló intensamente a través de familiares y amigos que ya habían emigrado". Tampoco está de acuerdo con la idea de que la pobreza absoluta es el principal motivo de la emigración. Según la profesora, abandonar su país supone gastos que solo puede pagar una persona que tiene un ingreso mínimo antes de emigrar. Y habla de una relación entre crecimiento económico y tasa de emigración.

Blanca Sánchez Alonso también estudió el efecto económico que tiene la inmigración. Defiende que los emigrantes "no roban" el trabajo a los nacionales, al menos no a los cualificados, sino que provocan más bien un "efecto de desplazamiento" a otras áreas geográficas o a otros trabajos relativamente más cualificados y de más difícil acceso para los extranjeros.

También asegura que el efecto negativo de los inmigrantes en la Seguridad Social es relativo. La mayoría de ellos solo se quedan un tiempo en España y vuelven a su país después de unos años... por eso, aunque puedan haber pagado las cuotas de la Seguridad Social no reciben una jubilación.

---

[1] Blanca Sánchez Alonso. Profesora de Historia Económica, Dpto. de Economía. Facultad de Ciencias Políticas y Sociología. Universidad de San Pablo-Ceu.

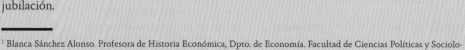

www.radiocable.com, 25.01.200

C. Conoces el significado de la expresión **sin papeles**? Escribe una definición
que explique su posible origen.

D. Completa estas frases con la información que has leído en el artículo. Recuerda usar
los conectores que conoces.

1. Apenas la mitad de los españoles que fueron a otros países europeos en los años 60 lo hicieron con
   contrato y de forma legal, ...

2. No todo el mundo sabe que hasta los años 70 había habido emigrantes ilegales españoles, ...

3. Se suele afirmar que la pobreza absoluta es el principal motivo de la emigración, ...

En el registro
formal escrito se
utilizan a menudo
conectores
equivalentes
a **aunque** tales
como **si bien**
o **a pesar de**
(+ Infinitivo,
sustantivo o frase
subordinada).

7. Plan estratégico de ciudadanía e integración

CD2
25

A. Escucha la entrevista con Beatriz Navajo y Fernando Verdejo. Revisa la tabla
con sus comentarios y añade argumentos a la opción con la que estés de acuerdo.

B. Escribe una carta a la sección de cartas al director de un periódico para mostrar
tu apoyo a uno de los dos entrevistados. Debes aportar también argumentos propios.

Carta al director:
· Pon un título
· Saluda y explica el tema
· Di cuál es tu posición respecto a ese tema
· Ordena tus argumentos y justifícalos
· Estructura tu texto usando los conectores que conoces

8. Una cuestión intolerable

A. Lee el título y el subtítulo del artículo de la página siguiente. ¿Sabes algo sobre este tema? Anota tus ideas.

Antes de leer un **texto difícil**, recuerda las estrategias que conoces: concentrarte en la información que te interesa, apoyarte en tus conocimientos de otras lenguas, deducir el significado de algunas palabras…

B. En el texto aparecen muchas palabras nuevas para ti, pero puedes entenderlas por su relación con palabras de tu propia lengua o con otras lenguas que ya conoces en español. Lee el texto y completa esta tabla.

palabras relacionadas con el tema			
palabras similares en otras lenguas		palabras derivadas de otras conocidas	
homicidio	homicide (inglés)	intolerable	in + tolerar
torturar	torture (inglés o francés)	aislar	a + isla + r
…		…	

C. Vuelve a leer el texto y marca en distintos colores las siguientes informaciones:

a. Qué pasó en Ciudad Juárez y Chihuahua.

b. Cuáles son las reacciones de las autoridades.

c. De qué actividades de organizaciones no gubernamentales informa el texto.

MÉXICO: MUERTES INTOLERABLES

Diez años de desapariciones y asesinatos de mujeres en Ciudad Juárez y Chihuahua

Según información de Amnistía Internacional, en diez años se han registrado alrededor de 370 homicidios de mujeres, de los cuales como mínimo 137 son asesinatos con violencia sexual. Además, no se han identificado 75 cuerpos, algunos de los cuales podrían corresponder a mujeres desaparecidas.

La brutalidad de los crímenes pone de manifiesto una de las expresiones más terribles de la violencia contra la mujer. Muchas de ellas fueron encerradas por varios días, torturadas y víctimas de la violencia sexual más terrible antes de morir. La mayoría de ellas murieron estranguladas. Sus cuerpos se han encontrado en basurales o abandonados en zonas desérticas cerca de la ciudad.

Estos crímenes, calificados por las autoridades como "homicidios en serie", han conmocionado a la población del estado de Chihuahua, que se caracteriza por extremos niveles de violencia contra la mujer, incluyendo homicidios por violencia doméstica u otro tipo de violencia.

Las primeras desapariciones y muertes de mujeres y niñas ocurrieron en Ciudad Juárez hace diez años. Esta ciudad fronteriza con Estados Unidos es actualmente la más poblada del estado de Chihuahua. Su posición geográfica ha hecho de la ciudad un lugar favorable para el narcotráfico.

Esto creó altos niveles de criminalidad e inseguridad ciudadana. Pero durante las últimas décadas, la instalación de empresas transnacionales, donde se ensamblan productos de exportación, las llamadas "maquilas", también le ha permitido un desarrollo económico privilegiado. En gran parte, la rentabilidad de la industria maquiladora se basa en la contratación de mano de obra local barata. Varias de las mujeres desaparecidas o asesinadas eran empleadas de la maquila.

Pero también hay camareras, estudiantes o mujeres que trabajaban en la economía informal. En definitiva, mujeres jóvenes sin poder en la sociedad, cuya muerte no suponía un costo político para las autoridades locales.

De hecho, durante los primeros años de las desapariciones y asesinatos, el discurso público de las autoridades reflejaba una abierta discriminación hacia ellas y sus familias. Más de una vez las mujeres fueron culpadas de su desaparición y asesinato por su forma de vestir o por trabajar de noche en bares.

En febrero de 1999, el ex procurador de justicia del estado, Arturo González Rascón, todavía afirmaba que "las mujeres que tienen vida nocturna salen a altas horas de la noche y entran en contacto con bebedores, están en riesgo. Es difícil salir a la calle y no mojarse".

A lo largo de los años, la presión constante ejercida por las familias y las organizaciones no gubernamentales para que se esclarezcan los crímenes ha logrado captar la atención nacional e internacional. Las autoridades han tenido que corregir su retórica ante la opinión pública, aunque siguen tratando los crímenes de forma aislada. Además niegan la existencia de características comunes en las desapariciones y asesinatos de las mujeres y niñas por razones de género.

Ya sea por indiferencia, falta de voluntad o incapacidad, en los últimos diez años las autoridades responsables de investigar los crímenes no han desarrollado ninguna estrategia eficaz. La creación en 1998 de la Fiscalía Especial* para la Investigación de Homicidios de Mujeres (FEIHM) tampoco cumplió con las expectativas. Hasta la fecha no ha puesto fin a las desapariciones y homicidios.

Ante la dimensión de los crímenes, Amnistía Internacional considera que es esencial adoptar mecanismos que garanticen la coordinación entre todas las instancias a nivel municipal, estatal y federal para prevenir, sancionar y acabar con las desapariciones y asesinatos de mujeres en Ciudad Juárez y Chihuahua y los abusos de poder que dificultan las investigaciones.

Amnistía Internacional: Índice AI: AMR – 41.027.2003, texto abreviado y simplificado

9. Verbos con preposición

A. Repasa las preposiciones **a**, **en**, **de**. Coloca los siguientes verbos en la tabla.
Fíjate bien en los verbos de movimiento.

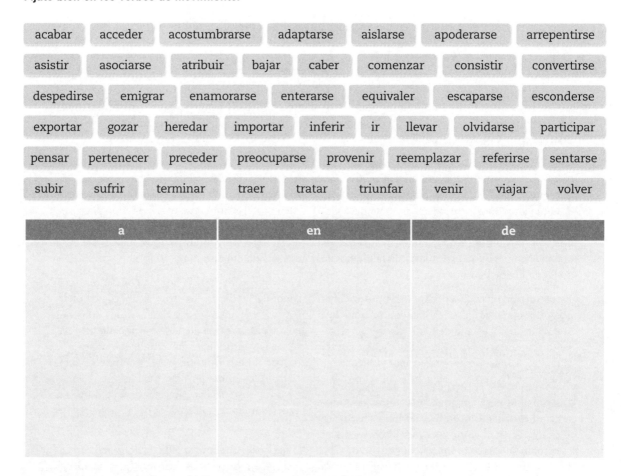

acabar	acceder	acostumbrarse	adaptarse	aislarse	apoderarse	arrepentirse
asistir	asociarse	atribuir	bajar	caber	comenzar	consistir	convertirse
despedirse	emigrar	enamorarse	enterarse	equivaler	escaparse	esconderse
exportar	gozar	heredar	importar	inferir	ir	llevar	olvidarse	participar
pensar	pertenecer	preceder	preocuparse	provenir	reemplazar	referirse	sentarse
subir	sufrir	terminar	traer	tratar	triunfar	venir	viajar	volver

a	en	de

B. Completa las siguientes frases con algunos de los verbos y preposiciones
del apartado anterior. Puede haber más de una respuesta correcta.

1. Después de muchos años de esfuerzo, Juan ha logrado _____ la vida.

2. No encuentro a María por ningún lado, quizás _____ su guarida.

3. Esta mañana he visto a Antonio. **Estaba hecho polvo** y me dijo que _____ haber roto con su novia.

4. ¡Menuda cara tiene Álvaro! El pobre, seguro que _____ insomnio.

5. Mi relación con Julia **va viento en popa**, cada día _____ hacerla sentir especial.

6. Este juego es muy sencillo, _____ matar marcianos.

7. Dame un segundo, que _____ comprar el pan para la comida.

8. Desde que le tocó la lotería, Rafael _____ un auténtico **cretino**.

C. Explica, con tus propias palabras, las expresiones destacadas en el
apartado anterior.

NOVELA EN 7 CAPÍTULOS / LOURDES MIQUEL

CAPÍTULO 6 **Buscar, encontrar**

Apenas durmió, pero esta vez las razones fueron otras y mejores. Cuando se despertaron, Elsa y Eduardo se concedieron un relajante baño y un formidable desayuno que hicieron subir a la habitación.

Durante el desayuno, animados por grandes dosis de cafeína, tomaron varias decisiones. En primer lugar, Eduardo se iba a quedar en el hotel con Elsa hasta el domingo; en segundo lugar, Elsa, acompañada por Eduardo, tenía que volver al campus y a Coyoacán para ver si de nuevo alguien la reconocía y, así, poder investigar qué pasaba y, por último, Eduardo tenía una cita ineludible aquella misma tarde para asistir a una conferencia de un colega suyo y Elsa lo iba a acompañar.

Al salir del hotel le preguntaron al recepcionista si recordaba quién le había dado la nota para Elsa. El recepcionista les dijo que era un chico de unos treinta años, moreno, bajito, sin nada especial que comentar de su aspecto físico, que había ido al hotel al mediodía.

A media mañana ya estaban en Coyoacán. En el ambiente se respiraba que el 1 de noviembre se acercaba. Había tiendas engalanadas con cintas de colores, por todas partes había calaveras y esqueletos, en las panaderías había panes especiales y pasteles con forma de calavera...

—Me sorprende mucho esta fiesta. Me hace sentir muy extranjera porque realmente no la entiendo... Si a mí me regalaran una calavera con mi nombre, me daría un mal rollo horrible... —le comentó Elsa a Eduardo.

Dieron vueltas por el mercado, pasearon por los jardines, tomaron café en diversos sitios, comieron en una cantina[32], volvieron a los lugares en los que había estado Elsa pero nadie la reconoció. Solo la niña que le había leído la mano se acercó y le dijo:

—¿Ves? Ya has encontrado al hombre que te dije.

Elsa se quedó de piedra. "Caramba con la niñita... A ver si es verdad que hay videntes...", pensó.

Después de comer, fueron a la Ciudad Universitaria y pasearon tranquilamente por los jardines para ver si alguien reconocía a Elsa, sin lograrlo.

Y, al final, se fueron a la conferencia del colega de Eduardo, un mexicano de origen español, especialista en el exilio tras la Guerra Civil[33].

Llegaron con retraso pero la conferencia todavía no había empezado:

—Ya te irás acostumbrando a los retrasos de este país —le comentó Eduardo —. Y, además, cuando te dicen "ahorita", ya puedes esperar con calma... Esa es una de las tres mentiras de los mexicanos.

Cuando le iba a preguntar cuál era la tercera, empezaron a presentar al conferenciante. Se llamaba Raúl Figueres y era historiador, nieto de una exiliada catalana, que estaba investigando sobre la adaptación de los exiliados a la sociedad de acogida y la aceptación social que tuvieron.

"Tienen ustedes que imaginar que se calcula que, tras la Guerra Civil, como consecuencia de la victoria franquista, llegan a México más de veinticinco mil exiliados. Gracias a la política exterior del presidente Lázaro Cárdenas, las fronteras de este país se abrieron para esos republicanos españoles, obligados a vivir fuera de su país... Más de veinticinco mil personas que salieron del otro lado del Atlántico indefensas, sin hogar, sin trabajo, sin futuro y que aquí pudieron rehacer sus vidas... ".

Elsa y Eduardo escuchaban atentamente, cogidos de la mano, acariciándosela continuamente.

---

[32] Restaurante casero y popular donde, generalmente, van a comer los hombres.
[33] La Guerra Civil española empezó en 1936 y terminó en 1939 con la victoria de los franquistas, que se alzaron contra la República legalmente constituida. Hubo más de un millón de muertos y cientos de miles de republicanos y librepensadores que tuvieron que exilarse. México fue uno de los países hispanoamericanos que acogió a más inmigrantes.

"Quisiera insistir en la hospitalidad de la población mexicana, que se volcó en la ayuda a sus hermanos españoles, sin racismo ni xenofobia de ningún tipo, pero también es importante destacar que la gran mayoría de los exiliados que vinieron a México pertenecían a la élite intelectual: científicos, poetas, historiadores, filósofos, pintores... que enriquecieron el panorama cultural mexicano. Recibieron mucho, pero también dieron mucho".

La conferencia fue realmente interesante y el profesor Raúl Figueres fue muy aplaudido.

—Ha sido una conferencia padrísima[34] —decían unos mexicanos.

A la salida, Eduardo le presentó a Elsa a una serie de conocidos suyos, casi todos de origen español, que se habían congregado ahí para aprender parte de la historia de sus familias. Casi todos eran de origen vasco, catalán o valenciano.

—Yo soy Idoia Elordi. Encantada de conocerte —le dijo una mujer muy atractiva y elegante.

—¡Anda! ¡Qué casualidad! Mi madre se llama Elordi de primer apellido[35].

De repente, alguien tomó a Elsa por los hombros y le dio la vuelta bruscamente:

—Por fin —le dijo un chico con mucho acento mexicano—. Te veo muy bien, carajo[36]. Veo que todo lo que ha pasado no te ha afectado en absoluto. Cuatro años juntos y ni tan solo has llorado un segundo... Y yo, chingado[37].

Elsa estaba realmente alterada y nerviosa, ese tipo le cogía los brazos con mucha fuerza y la sacudía mientras hablaba:

—Perdone, ¿nos conocemos de algo? —le preguntó mientras buscaba con la mirada a Eduardo, que estaba hablando con unos amigos unos metros más allá.

—Mira, güey[38], eso en las películas está muy bien, pero cuando alguien ha estado cuatro años compartiendo comida y cama, no tiene mucha gracia. Tú me debes una explicación y me la vas a dar, te guste o no... Vamos a platicar[39] un rato.

En ese momento Eduardo llegó con dos copas de cava en la mano.

—Toma, cariño.

—¿Cariiiiiiiiñooooooooo? —gritó el chico—. ¿Cariiiiiiiiiiiiiñoooooooooooooo? ¿Hace cuatro días que lo hemos dejado y ya te has conseguido a otro cuate[40]?

—¿Cómo? —le preguntó Eduardo a Elsa—. ¿Tú estabas enrollada con este tipo? No me has dicho nada de eso. ¿Qué estás haciendo? ¿Estás jugando conmigo?

Elsa empleó toda su fuerza para soltarse del mexicano que, al caer, le dio un golpe a Eduardo, que, sin querer, tiró las copas al suelo. Todo el público que salía de la conferencia los miraba.

—Basta —dijo Elsa—. Aquí hay un gran malentendido. Efectivamente, tenemos que hablar.

---

[34] Una expresión muy frecuente entre los mexicanos para referirse a eventos que les han gustado mucho.

[35] Los españoles tienen dos apellidos: el primero, es el primero del padre y el segundo, el primero de la madre.

[36] Expresión algo vulgar para manifestar muchas emociones distintas.

[37] En México, expresión coloquial para decir destrozado, destruido.

[38] Expresión mexicana coloquial para dirigirse a las personas, equivalente al español "tío" o "tía".

[39] Expresión que significa "hablar", "conversar".

[40] En México, expresión informal que significa compinche, camarada, amigo, o simplemente, chico.

Revista *Campus ELE*

1. Un nuevo periódico

A. Completa este texto de presentación del periódico *El mundo de hoy*.

a pesar de que	en resumen	ya que	especialmente	por fin

después de	además	para empezar	por otro lado

EL MUNDO DE HOY

EDITORIAL

¡_____ hemos llegado! _____ mucho tiempo de preparación en nuestra redacción, podemos anunciar a todo el mundo que *El mundo de hoy*, tu periódico, ya ha salido a la venta. En este periódico tendrán cabida todas las noticias que ocurran en el mundo, _____ en el mundo hispano. Y _____ queremos darte las gracias a ti, querido lector, por haber apostado por nuestra publicación para informarte. Pero, _____, queremos prometerte que lo haremos con el mayor rigor posible: lucharemos siempre por ofrecerte una información contrastada y verídica. _____, haya malas noticias, no olvidaremos las noticias positivas, _____ pensamos que también mueven el mundo. _____, esperamos ser tu compañero de viaje de ahora en adelante. *El mundo de hoy* empieza aquí, ¡bienvenido a tu periódico!

B. Acabas de leer la sección "Editorial". ¿Qué otras secciones va a tener este periódico?
Haz una lista y explica al lado cuál va a ser su contenido.

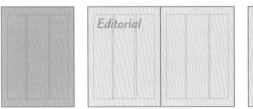

Editorial

1   2

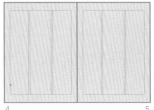

3   4

5   6   7

2. Está ocupado todo el día

Completa las frases con ser o estar. Observa las diferencias de significado cuando se usa el mismo adjetivo con diferentes verbos.

1. Tiene mucho talento para las lenguas, ... capaz de traducir todo tipo de textos.

2. Hoy no puedo salir con vosotras, ... ocupada todo el día.

3. ¡No tengo tiempo para estupideces, ... una persona ocupada!

4. Trabaja demasiado. Siempre .... cansada.

5. La excursión de mañana .... un poco cansada, pero vale la pena.

6. El cambio del euro en Argentina no ha variado demasiado, ... a unos cinco pesos.

7. ¡Date prisa! ¡ .... muy tarde! Vamos a perder el avión.

8. En España, un 9% de la población adulta, ... sola o tiene parejas ocasionales.

9. Paco no .... muy consciente de que si sigue fumando así, se enfermará.

10. Como .... invierno, en esta zona nos espera lluvia, nieve y granizo.

11. Virginia .... muy morena, se nota que ha pasado todo el verano en la playa.

12. Como Juan .... muy moreno y tiene el pelo oscuro, mucha gente cree que es del Magreb o gitano.

⚠️ Los **sustantivos** siempre se usan con el verbo **ser**, y los **Participios**, cuando funcionan como adjetivos, se usan con el verbo **estar**.

3. Informaciones

Vuelve a escribir estas frases utilizando el verbo estar y un Participio o adjetivo. Puedes hacer otros cambios en la frase si lo necesitas.

1. La inmigración hispanohablante, en Estados Unidos, ya no se limita a las grandes ciudades.

....

2. En la fiesta de disfraces, Magaly se vistió de Caperucita Roja.

....

3. Reservaron la mesa para las nueve de la noche.

....

4. Como acaban de cambiarse de piso hay desorden en todas las habitaciones.

....

5. Acaba de abrirse la inscripción para los cursos de verano.

....

6. Vicky está enferma y no puede ir al cole. Se aburre de estar todo el día sola en casa.

....

4. Variaciones lingüísticas

A. El autor del siguiente texto es muy prudente: no quiere comprometerse con la veracidad o la exactitud de la información que transmite. Cambia las expresiones subrayadas por otras que muestren total seguridad sobre esta información.

| evidentemente | normalmente | sin lugar a dudas | absolutamente |

| claramente | únicamente | esencialmente | independientemente |

| básicamente | indudablemente | es un hecho conocido |

Se podría afirmar que América Latina y España presentan dentro de su territorio variaciones lingüísticas del español relativamente importantes, aunque algunas comparten fenómenos fonéticos similares, como el seseo y la aspiración de la "s". En la Península Ibérica, el llamado español atlántico distingue el habla del sur del territorio de la del norte, y en América Latina hay formas de hablar bastante diferenciadas por regiones, como por ejemplo, los Andes, el Río de la Plata, el Caribe o la costa Atlántica de México, Centroamérica, Venezuela y Colombia: hablamos distinto pero probablemente nos entendemos igual.

Como ocurre quizá con la mayoría de las lenguas, en cada país donde se habla español existe una variante estándar y variantes dialectales. Posiblemente porque existen tantos estándares como países que las practican en los medios de comunicación, en su literatura y en el mundo académico, quizás podamos afirmar que el castellano o español es una lengua policéntrica. Probablemente todas las normas cultas son equivalentes, por lo tanto, deberíamos decir que no existe un español mejor o peor que otro.

B. Escribe un texto argumentativo sobre la situación de tu lengua en el mundo. Utiliza las expresiones para enfatizar tus opiniones.

5. Coches eléctricos

A. ¿Te comprarías un coche eléctrico? Lee estos argumentos a favor y en contra y elige tu opción. Complétala con otros argumentos que se te ocurran.

a favor

El precio de los combustibles es cada vez más elevado.

La contaminación producida por los automóviles es una de las principales razones de la destrucción de la capa de ozono.

Existe la posibilidad real de desarrollar una industria automovilista con energías renovables.

La energía eléctrica no deja residuos y es sostenible.

La fabricación de coches eléctricos es una opción más viable que la fabricación de coches con energía solar o de otros tipos.

El petróleo es una energía no renovable y su excesiva influencia sobre la economía produce situaciones de injusticia entre países.

en contra

No existe, en este momento, una industria automovilística con energía eléctrica.

Los precios de los coches eléctricos son muy elevados y tienen poca presencia en el mercado.

La economía media de los ciudadanos no permite el exceso de comprarse un coche eléctrico.

Los daños producidos por la contaminación de los coches de gasolina o derivados no serán patentes para las generaciones que, en este momento, invierten su dinero en este tipo de coches.

No existe un apoyo real por parte de las instituciones a este tipo de energías renovables y no contaminantes.

Las prestaciones de este tipo de coches, a día de hoy, no están a la altura de las prestaciones de los coches de gasolina o gasoil.

B. Vas a escribir a un blog sobre coches eléctricos explicando tu posición respecto al tema. Puedes seguir estos consejos.

- Describe el problema para empezar
- Piensa en posibles argumentos contra los tuyos
- Piensa en una conclusión
- Ordena tus argumentos y contraargumentos teniendo en cuenta situaciones, causas, consecuencias...
- Estructura tu texto usando los recursos de esta unidad

Los **marcadores** y **conectores** (causales, temporales...) y los elementos para no repetir palabras (**pronombres**, **sinónimos**, etc.) son elementos importantes para que cualquier texto esté bien escrito.

6. Pero yo discrepo...

Vuelve a leer este artículo sobre la situación del español en Estados Unidos y escribe dos cartas al director del periódico.

Seis tesis sobre el español en Estados Unidos

EDUARDO LAGO

El gigante norteamericano será el centro de gravedad del mundo hispánico en unas décadas. Aumenta la población hispanohablante, su acceso a la educación y su sentimiento de constituir una sola comunidad.

(...) En las líneas que siguen propondré seis tesis con el fin de contextualizar la situación que vive hoy el español en Estados Unidos.

1. Lengua materna a la vez que extranjera. Como muestra el mapa, con nombres tan resonantemente hispánicos como Florida, San Francisco, Los Ángeles, Colorado o Nevada, en Estados Unidos el español no ha sido nunca una lengua extranjera. Tras la entrega de más de la mitad del territorio mexicano cuando tuvo lugar la firma del Tratado de Guadalupe-Hidalgo en 1848, un gran número de hispanohablantes pasaron a ser estadounidenses de la noche a la mañana. El siglo y medio largo que ha transcurrido desde entonces ha estado marcado por una serie de movimientos migratorios que han reforzado la categoría de lengua materna que tiene en aquel país el español. (...) Por eso en Estados Unidos el español tiene un estatus doble: es, a la vez, un idioma materno y una lengua extranjera.

2. País bilingüe y bicultural. Para el año 2050, los hispanos constituirán la cuarta parte de la población estadounidense, es decir, que el país está destinado a convertirse en una sociedad bilingüe y bicultural. (...)

3. La segunda "latinitas". En mi opinión, en Estados Unidos se está desarrollando hoy una "latinitas" de signo opuesto a la primera, cuando el latín dio lugar al nacimiento de las diversas lenguas románicas. Al encontrarse en territorio estadounidense, las distintas identidades latinoamericanas reducen distancias entre sí, lo que hace que mexicanos, puertorriqueños, dominicanos, salvadoreños, colombianos y otros, se sientan hispanos de los Estados Unidos, tanto lingüística como culturalmente.

4. Desplazamientos del centro de gravedad. (...) Según las estadísticas, en algún momento del siglo XXI, Estados Unidos será el país con mayor número de hispanohablantes. En mi opinión, ello significará el desplazamiento del centro de gravedad hacia Norteamérica, no solo de la lengua, sino también de una cultura de signo panhispánico.

5. El español como territorio de afirmación y resistencia. (...) Hoy día, aunque a nadie se le pasa por la cabeza el error que supondría dejar de lado el inglés, se observa entre los latinos, sobre todo en los que tienen acceso a la educación superior, un claro orgullo por la cultura originaria y la voluntad de conservar el uso del español, que se desea mantener vivo, especialmente en las siguientes generaciones.

6. Cristalización de una nueva lengua: el español de Estados Unidos. En último lugar, afirmo que de la misma manera a como se está creando una identidad latina, en Estados Unidos se está desarrollando una nueva variedad lingüística, resultante de la integración de las distintas hablas nacionales que se dan cita en aquel país. (...)

Y a modo de conclusión, son muchos los indicios que permiten expresar con toda claridad que nos encontramos en un proceso en el que el español está obteniendo cada vez más prestigio cultural. (...) Nos encontramos al comienzo de un proceso histórico que dentro de unas décadas convertirá a Estados Unidos en el centro de gravedad del mundo hispánico.

www.elpais.com

• Carta de apoyo a las teorías de que el español está en auge en Estados Unidos.

El nacimiento de una nueva cultura.

• Carta mostrando escepticismo sobre estas teorías.

La necesidad de integrarse en los países de destino.

7. Latinos en EEUU

A. Lee los siguientes textos y ponles una etiqueta (prudente o categórico)
según la relación de sus autores con la información que transmiten.

La publicación de la Enciclopedia del español en Estados Unidos, un proyecto del Instituto Cervantes y la editorial Santillana, ha sorprendido por las altas cifras que reflejan la fuerza del español en ese país, aunque en algunos casos se ha criticado el tono triunfalista de la enciclopedia. Al parecer, algunos dicen que el español hablado en Norteamérica no tiene prestigio cultural en absoluto, porque depende de la inmigración; otros afirman que la fuerza del español es en realidad pasajera y que desaparecerá cuando los descendientes de quienes acaban de llegar vayan a la escuela y adopten únicamente la lengua y la cultura dominantes; también se considera que los medios de comunicación que se expresan en castellano tienen, en general, muy baja calidad.

Para el año 2050, los hispanos podrían constituir la cuarta parte de la sociedad estadounidense, es decir que el país está quizás destinado a convertirse en una sociedad bilingüe y bicultural. Esta tendencia viene subrayada por un cambio relativamente interesante, que ha empezado a experimentar recientemente la inmigración hispanohablante: antes estaba, en parte, limitada a los centros urbanos, pero en la actualidad se reparte por casi todo el territorio nacional, incluidas algunas zonas rurales. En zonas tan alejadas como el estado de Washington, en la costa del Pacífico, en la frontera de Canadá, hace poco era inexistente. Ahora está llegando al 10%.

No hay duda de que en EEUU se está desarrollando un fenómeno interesantísimo en relación con los hispanohablantes. Se trata del nacimiento de una nueva comunidad lingüística y cultural. Al encontrarse en territorio estadounidense, es un hecho conocido que las distintas identidades latinoamericanas intentan reducir distancias entre sí, lo que hace que mexicanos, puertorriqueños, dominicanos, salvadoreños, colombianos y otros se sientan hispanos de los Estados Unidos, tanto lingüística como culturalmente.

El fenómeno más significativo en lo que se refiere a la relación que mantienen entre sí las culturas hispánica y anglosajona en Estados Unidos es el cambio de actitud por parte de la población latina hacia la lengua y la cultura dominante, algo cada vez más evidente. Antes había urgencia por asimilar la nueva cultura, lo cual implicaba dejar atrás la cultura y la lengua de origen. Hoy día, aunque a nadie se le pasa por la cabeza el error que supone dejar de lado el inglés, se constata, entre quienes tienen acceso a la educación superior, un claro orgullo por la cultura originaria y el deseo vivo de mantener el español.

B. Explica con tus propias palabras las expresiones marcadas en este contexto.
Tradúcelas a tu idioma.

prestigio cultural ....

comunidad lingüística ....

comunidad cultural ....

identidad cultural ....

cultura dominante ....

cultura originaria ....

asimilar ....

8. Un discurso contra la injusticia

A. Lee este texto. ¿En qué contexto crees que se escribió o se dijo? Fíjate luego en la fuente (bajo el texto) para comprobar tu respuesta.

" El mundo vivido en el último año nos debe llevar a reflexionar profundamente para luego actuar con decisión. El optimismo de comienzo de siglo, aquel que hablaba del milenio de la esperanza, parece esfumarse. Se estima que la sola alza en el precio de los alimentos ha empujado a más de cien millones de personas a la extrema pobreza. A su vez, la inestabilidad financiera azota hoy a numerosas economías, amenazando con generar un cuadro recesivo mundial donde, como siempre, los más afectados terminan siendo los más pobres del planeta.

La revisión de nuestros objetivos se hace muy imperiosa, porque no podemos permanecer impávidos ante el deterioro en el bienestar básico de millones y millones de ciudadanos de todo el mundo. Quienes compartimos una noción de progreso, quienes hemos hecho de la libertad y la justicia social nuestras banderas, debemos alzar la voz. El mundo ha llegado a tener los recursos económicos, técnicos y científicos que hacen posible por primera vez en su historia asegurar el bienestar de toda la humanidad y no podemos desperdiciar esta capacidad.

Un mundo mejor es posible, pero para eso se necesita voluntad de progreso y la actual crisis económica internacional demuestra que lo que ha fallado es precisamente esa voluntad. La codicia y la irresponsabilidad de unos pocos, unida a la desidia política de otros tantos, han arrastrado al mundo a una situación de gran incertidumbre.

Qué paradoja lo que vemos en estos días. Con los planes de rescate de la banca internacional, bien pudiera haberse solucionado el flagelo del hambre en el planeta.

Por eso, este es el momento de reafirmar nuestra voluntad.

Porque ninguno de los actuales problemas que enfrenta la humanidad, y ciertamente ninguno de los objetivos civilizatorios que nos hemos dado, los lograremos enfrentar adecuadamente si no existe una opción clara por lo público, por la acción colectiva de los Estados y de la sociedad civil.

Por eso mi llamado es hoy a trabajar juntos para apoyar las medidas de emergencia ante la crisis alimentaria, redoblar nuestros esfuerzos para que la crisis económica en evolución no nos impida alcanzar los Objetivos de Desarrollo del Milenio.

Por eso mi llamado es a un compromiso urgente y genuino con el multilateralismo.

Por eso debemos comprometernos para continuar apoyando y reformando las instituciones internacionales, especialmente Naciones Unidas, para hacerla más representativa, más democrática y que dé mejor cuenta de las esperanzas de nuestros pueblos.

Por eso también debemos alcanzar un acuerdo en la Ronda de Doha de la Organización Mundial de Comercio; por eso debemos obtener resultados concretos en la próxima Conferencia Sobre Financiación para el Desarrollo; y por eso debemos asegurar también el éxito de la Conferencia de Copenhague sobre Cambio Climático el 2009, y convertir dichas negociaciones en acuerdos que contribuyan decisivamente al desarrollo. "

Discurso de Michelle Bachelet, ex presidenta de Chile, ante la Asamblea General de la ONU el 24 de septiembre de 2008 (fragmentos).

B. Resume para la revista Campus ELE el contenido de este discurso en forma de noticia. Ponle también un título. Recuerda que estás refiriendo las palabras de otra persona.

EL MUNDO DE HOY

INTERNACIONAL

El 24 de septiembre de 2008, Michelle Bachelet pronunció un discurso ante la Asamblea General de la ONU en el que...

9. El tiempo en el trópico

A. ¿Sabes qué tiempo hace en los trópicos a lo largo del año? Lee esta descripción y subraya todas las palabras que se refieren al clima.

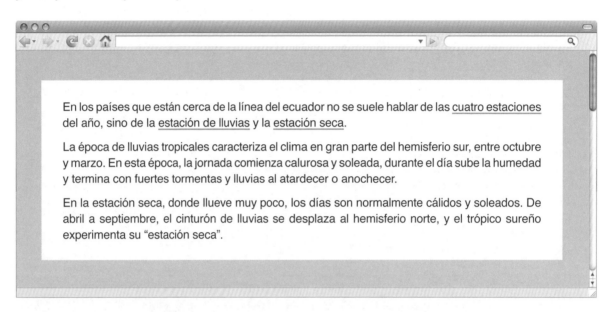

En los países que están cerca de la línea del ecuador no se suele hablar de las <u>cuatro estaciones</u> del año, sino de la <u>estación de lluvias</u> y la <u>estación seca</u>.

La época de lluvias tropicales caracteriza el clima en gran parte del hemisferio sur, entre octubre y marzo. En esta época, la jornada comienza calurosa y soleada, durante el día sube la humedad y termina con fuertes tormentas y lluvias al atardecer o anochecer.

En la estación seca, donde llueve muy poco, los días son normalmente cálidos y soleados. De abril a septiembre, el cinturón de lluvias se desplaza al hemisferio norte, y el trópico sureño experimenta su "estación seca".

B. Anota debajo de estos dibujos todas las palabras relacionadas con el tiempo y el clima que aparecen en el texto. Completa con otras palabras que conoces.

C. Describe el tiempo que hizo durante todo el día de ayer en el lugar donde te encuentras.

Novela

B1+ · 15

NOVELA EN 7 CAPÍTULOS / LOURDES MIQUEL

CAPÍTULO 7 **Comprender, descubrir**

Y se sentaron los tres. Ese desconocido de pelo negro ensortijado, tan enfadado con Elsa. Eduardo, totalmente desconcertado pensando que Elsa lo estaba engañando, y Elsa dispuesta a entender por fin lo que estaba pasando.

—Dime quién eres y qué quieres —le dijo Elsa a ese desconocido.

—Quiero que vuelvas conmigo.

—Estás loco. Yo a ti no te conozco de nada... ¿Me entiendes? De nada. No te he visto en mi vida. No sé quién eres. Ni siquiera sé cómo te llamas...

El chico se empezó a dar cuenta de su error. Elsa hablaba "raro": pronunciaba las ces y las zetas, tenía una entonación diferente...

—Yo soy Mateo. Y tú eres Elsa Nin.

Eduardo, por un momento, recordó la película de Tarzán[41].

—No. Yo soy Elsa, sí, pero Elsa Esteve. No soy Elsa Nin. Mi nombre tiene tres "es": Elsa Esteve Elordi. Y es la primera vez que estoy en México. Llegué hace unos días y casi no conozco a nadie aquí. Excepto a este chico, Eduardo, que también tiene un nombre con "e".

—¿Quééééééééééééé? ¿No eres mexicana? ¿No eres Elsa Nin? No, no es posible. Eres igual que ella. Exacta. A ver, enséñame tu brazo.

Le cogió el brazo derecho, le subió la manga del jersey y, después de mirarle el brazo, dijo:

—No tienes el lunar. No eres ella. No es posible. Me va a caer bien un tequila doble.

Y, de repente, Mateo se levantó, empezó a correr y se fue. Eduardo y Elsa lo siguieron un rato, pero aquel chico corría más que ellos y lo perdieron.

—¿Sabes lo mejor de todo? —le dijo Elsa a Eduardo jadeando por haber corrido tanto —. Que mi abuela se llama Nin de primer apellido. Mi padre se llama Jaime Esteve Nin. Me estoy volviendo loca...

—Tranquila, cariño.

"¡¡¡¡¡¡Me ha llamado "cariño"!!!!!!", pensó fugazmente Elsa.

—Al menos —continuó Eduardo— ya sabemos que hay otra Elsa, muy parecida a ti y que, por eso, la gente te confunde con ella. Y, por lo que dices, probablemente es familia tuya.

—No. Eso es imposible. Yo no tengo familia en México.

Y, de repente, se acordó de su abuela Mercedes. De su abuela Mercedes Nin y de que fue ella la que le sugirió que viniera a México.

—Sea como sea, yo ahora estoy muy intrigada. Me gustaría conocer a esa Elsa Nin, buscada por un hombre locamente enamorado de ella al que ella ya no ama, megaconocida en distintos ambientes e idéntica a mí, que, además tiene el mismo apellido que mi abuela...

—Dicen que todos tenemos un doble.

—Pues yo quiero conocer a esa mujer. Tenemos su apellido y sabemos que físicamente es como yo. Nin es un apellido catalán y en Cataluña no hay muchos, así que en México menos. Seguro que su familia se exilió de España en la Guerra Civil... Podemos buscar en la guía telefónica. Y también puedo mirar en Facebook.

Un rato después estaban en el hotel de Elsa, conectados por wifi a Internet y abriendo la página de Facebook.

—E-mail, contraseña y en "Buscar" pongo "Elsa Nin"...

Enseguida apareció la foto de una mujer idéntica a Elsa.

—Dios mío. Es igual que yo. Clavada.

—Mira a ver qué pone en "Información".

—A ver... Mira, tiene mi edad. Está estudiando una maestría en Relaciones Internacionales en la UNAM... Por tanto, aunque ese loco diga que no la encuentra, probablemente ella sigue viviendo aquí... Y aquí está su e-mail. Voy a hacer una cosa, le voy a mandar un e-mail y también voy a poner un comentario en su "muro".

---

[41] En la traducción al español, Tarzán le dice a su chimpancé: "Yo, Tarzán. Tú, Chita".

ciento cuarenta y uno › **141**

—Y mira también cuándo ha escrito en el muro por última vez —le aconsejó Eduardo.

—Buena idea. Mira, escribió ayer... Querido, es nuestro día de suerte. Ha quedado para esta noche con un amigo suyo en Xoximilco[42], en un restaurante que se llama "La Adelita"

—Pues allí estaremos.

Un rato después Elsa y Eduardo llegaban a un barrio lleno de barcas pintadas de alegres colores y, por estar a menos de cuarenta y ocho horas antes del Día de los Muertos, lleno de flores de cempasúchitl[43], que le daban un tono de un amarillo intenso a todo. El cielo, sin embargo, presagiaba tormenta.

En cuanto entraron en "La Adelita" vieron a Elsa, a la otra Elsa, y Elsa los vio a ellos y casi se desmaya del susto. No es fácil ver a un ser igual a ti, totalmente desconocido, que te mira fijamente y se acerca. Porque Elsa se acercó, con total decisión, a la mesa donde estaba sentada la otra Elsa, se sentó delante de ella y, por segunda vez en ese día, dijo:

—Tenemos que hablar. Pero, de momento, no digas nada y escúchame.

Medio recuperada del susto, Elsa Nin escuchó a Elsa Esteve explicar lo que le estaba pasando desde que había llegado a México y cómo, a través de Mateo, habían conseguido su apellido y, luego, la habían buscado en Facebook y habían visto que tenía esta cita.

—Y ahora que lo sabes todo, tenemos que buscar una explicación a esto: nos llamamos igual y somos iguales. Y, encima, tú tienes el mismo apellido que mi abuela... Mercedes Nin.

—¿Mercedes Nin? Mi abuelo tenía una hermana que se llamaba Mercedes Nin, pero murió en la guerra española. Mercedes Nin Alás.

—¿Mercedes Nin Alás? Esa es mi abuela y te aseguro que no murió en la guerra. Está bien viva y tomando güisqui a cada rato.

—¿Qué dices? Entonces, efectivamente, tenemos mucho que hablar.

Y así descubrieron que eran primas segundas[44].

—Mi abuelo —explicó Elsa Nin— llegó a México justo después de los bombardeos de Barcelona que, si no recuerdo mal, fueron en marzo o abril del 38. Tenía 5 años y toda su familia había muerto en los bombardeos. O eso le dijeron.

—La abuela Mercedes nunca habla de la guerra, pero mi padre me explicó que en los bombardeos de Barcelona murieron la madre de mi abuela y su hermano pequeño, Jaime.

—Ese es mi abuelo. Él no murió. Unos amigos de la familia, los Rovira, que eran republicanos, se enteraron de que una bomba había explotado en casa de la familia Nin. Cuando llegaron allá, vieron que todo estaba destruido. Solo se oía a un niño llorar. Era mi abuelo, solo, sucio y abandonado. Se lo llevaron a su casa. Durante días buscaron a sus padres y como no los encontraron, creyeron que toda su familia había muerto y lo trajeron a México, cuando ellos se exiliaron, en uno de los viajes de republicanos españoles hacia el exilio. Él vivió con los Rovira hasta que murieron.

Eduardo estaba fascinado viendo a esas dos mujeres que, como si fueran la imagen de un espejo, estaban descubriendo secretos, malentendidos, silencios que rescribían sus vidas.

—Mi abuela Mercedes, junto con su padre, vieron de lejos cómo bombardeaban su casa, buscaron a su madre y a su hermano durante días pero no los encontraron entre los escombros ni en los hospitales. Unas semanas después vieron sus nombres en la lista de fallecidos... Dime una cosa muy importante, ¿tu abuelo vive?

—Sí, y bebe güisqui cada tarde mientras se fuma un cigarrillo a escondidas.

—No hay duda. Son hermanos.

---

[42] Xoximilco es un barrio muy popular —y también turístico— lleno de canales y donde hay barcas.

[43] Flor de un amarillo muy intenso que se utiliza en México fundamentalmente en los días anteriores y durante el Día de los Muertos.

[44] En España se cuenta hasta tíos y primos segundos. Puede ser que no se conozcan personalmente entre ellos, pero sí que se sabe de su existencia y se conocen sus nombres.

EPÍLOGO **Volver**

Decían los mexicas que, cuando alguien muere, continúa viviendo en Mictlán, un lugar donde viven todos los que han abandonado este mundo, y allí viven plácidamente hasta que un día vuelven a sus antiguos hogares para visitar a sus parientes.

La noche del domingo 1 de noviembre, el día que en México creen que las almas de los niños muertos regresan con sus familias, Elsa entró en el salón de casa de su abuela.

—Abuela querida, ya estoy aquí.

—¿Ya has vuelto, angelito? ¡Qué alegría! ¿Cómo te ha ido todo?

—Te lo voy a contar todo, abuela. Pero, primero, vamos a servirnos un güisqui. Y tú te vas a sentar cómodamente en tu sillón preferido y no te vas a poner nerviosa, nada nerviosa, cuando te presente a una persona que he conocido en México.

—¿Un chico guapo y encantador que te ha hecho olvidar a ese impresentable de Eduardo?

—Algo parecido.

Elsa se levantó para abrir la puerta del salón. Un hombre de pelo blanco, apuesto y elegante a pesar de sus casi ochenta años, sonreía y, acercándose a Mercedes, dijo:

—En estos años nunca he podido jugar tan bien al escondite como cuando jugaba contigo.

—¿Cómo? Yo sólo jugué al escondite con mi hermano Jaime.

—Es que soy Jaime.

Soluciones

UNIDAD 1

1. Palabras relacionadas

Música: moderna
Persona: amable, optimista
Amigo: amable, optimista
Amiga: amable, optimista
Estudiantes: simpáticos, sociables, serias, trabajadores
Secretaria: amable, optimista
Universidad: pública
Ciudad: pública

2. ¿Singular o plural?

sustantivos

masculino		femenino	
singular	plural	singular	plural
chico	barrios	clase	carreras
deporte	teléfonos	discoteca	lenguas
		música	amigas
			páginas

adjetivos

masculino		femenino	
singular	plural	singular	plural
simpático	alegres	importante	alegres
importante	amables	interesante	amables
pequeño	modernos	pública	prestigiosas
interesante	sociables	privada	sociables
grande		seria	
		grande	

3 ¿Artículo definido o indefinido?

1. Esta es la amiga de Iñaki, se llama Paloma. Es una amiga del curso de español.
2. La Universidad Nacional de Córdoba es una universidad muy antigua.
3. Paloma tiene un amigo mexicano que se llama Luis. La Universidad de Luis es la Universidad de Guadalajara.
4. El hermano pequeño de Luis vive en La Habana. La Habana es la capital de Cuba.
5. Mi Universidad se llama Carlos III. Está en norte de Madrid, en un campus bastante grande. Es el campus de Colmenarejo.

4. Yo soy...

Hola, soy Lorena Robles Ramírez y tengo 20 años. Soy de Zacatecas pero vivo con mi familia en Guadalajara. Estudio Ciencias Económicas. Mi carrera es muy interesante. Tengo una hermana y dos hermanos. En mi tiempo libre estudio alemán. Me gusta mucho leer, navegar por internet y salir con mis amigas.

Esta es mi universidad. Es la Universidad Nacional de Córdoba y está en Argentina. Es la más antigua

(1613) y la más grande después de la UBA, la Universidad de Buenos Aires. Aquí puedo estudiar todas las carreras. Si busco un curso para aprender español, puedo ir a la Facultad de Lenguas que está en la ciudad universitaria.

5. Plurales acabados en -es

plural	singular	el / la
redes	red	la
países	país	el
excursiones	excursión	la
universidades	universidad	la
informaciones	información	la
facultades	facultad	la
ciudades	ciudad	la
jueves	jueves	el
campus	campus	el
naciones	nación	la

6. Presentaciones

A.
1. te llamas
2. se llama
3. me llamo
4. se llama / es
   me llamo / soy
5. te llamas / eres
   me llamo / soy

B.
1. ¿De dónde eres?
   De San Petesburgo.
2. ¿De San Petesburgo? ¿Dónde está?
   En Rusia.
   Ah.. ¿Y para qué estudias español?
   Para viajar por Sudamérica el año que viene.
3. ¿Cuáles son tus aficiones?
   Toco la guitarra y hago excursiones a la sierra. ¿Y cuáles son tus aficiones?
   Yo hago deporte y estoy en un grupo de teatro.
4. ¿Qué estudias?
   Estudio Filología en la Universidad de Barcelona

7. Mi ciudad

A.
se llama / es / Inglaterra / está / es / está / está / norte / es / museos / conciertos

8. Preguntas y respuestas

1. ¿Cómo te llamas?
2. ¿Eres Peruana?
3. ¿Estudias Literatura?
4. ¿Tú eres de Valencia?
5. ¿Tú eres de Buenos Aires, no?
6. ¿No eres de Granada, no?
7. John es de Nueva York, ¿no?
8. Tú eres de Vigo ¿verdad?

No, soy de Rosario (2, 4, 5, 6)

Sí ¿Y tú? (2, 3, 4 , 5, 8)
Sí, soy gallega pero estudio en Madrid (8)
No, soy de Madrid. (2, 4, 5)
No lo sé, no conozco a John. (7)
Pues no, no lo soy- (2, 4, 6)
Jon, soy vasco.(1)
No, estudio filosofía (3)

9. Saludos y despedidas

Sugerencia:
1. Buenos días.
   Buenos días, ¿cómo está?
2. Buenas tardes.
   Hola, buenas tardes.
3. Hola, ¿qué tal? Soy Gloria.
   Hola, bien, gracias. Yo soy Felipe.
4. Hola, ¿cómo estás?
   Bien, gracias, ¿y tú?
5. ¡Hasta luego!
   ¡Hasta luego!
6. ¡Nos vemos!
   ¡Vale, hasta pronto!

11. Álex y Matías se conocen

1. ¡Hola! ¿Eres Alex?
2. Sí Y tu eres Matías, ¿no?
3. Sí.
4. ¿Qué tal?
5. Bien, gracias.
6. ¡Muy bien! ¿Tú para qué quieres aprender español?
7. Para vivir en España. Me gusta mucho España.
8. ¿Ah sí? ¿Por qué?
9. Me gusta su clima, su cultura, sus paisajes, su gastronomía, su gente...
10. ¿Y qué ciudades conoces?
11. Conozco Barcelona y Granada, sobre todo.
12. Ajá. Yo no conozco Granada.
13. Y tú ¿Por qué aprendes francés?
14. Yo quiero aprender francés porque trabajo en una empresa francesa.
15. ¿Y te gusta Francia?
16. Sí, ¡mucho!

12. Datos personales

¿Tu nombre, por favor?
¿Tu apellido?
¿De dónde eres?
¿Qué estudias?
¿El día de tu cumpleaños es...?
Tu número de teléfono, por favor
¿Tienes correo electrónico?
¿Dónde vives?

14. Taller de escritura

trabajo / un / la / saludo / buenos días / responden / buenos días / mi / un / saluda / se llama / es / son / es / creo / es

16. Actividades

A.
Jugar: a fútbol, a la videoconsola, a baloncesto, al parchís
Practicar: deporte
Tocar: la guitarra, el piano, música
Pinchar: discos, música
Hacer: deporte, natación, música

C.

Sugerencia:
jugar / comer / dormir / hablar /
pasear / estudiar

UNIDAD 2

1. Yo y mi mundo

A. y B.

e > ie	o > ue	e > i
preferir > prefiero	poder > puedo	decir > digo
querer > quiero		elegir > **elijo**
entender > entiendo		repetir > repito
pensar > pienso		pedir > pido
tener > tienes		

C.

1. quiere / dice / puede
2. preferimos / tiene
3. piensan / piden / dice / quieren / pueden
4. quieres / puedes / dice
5. elige / entendemos / repite / repite / pido / quiero

2. Gustos y aficiones

1. te / mí
2. les / nos
3. le
4. os
5. le
6. os
7. le
8. mí / me / mí

4. ¿Tú también estudias español?

1. tampoco
2. también
3. tampoco
4. también
5. también
6. tampoco

5. ¿De quién es?

A.

1. su móvil / sus gafas / su tarjeta / sus llaves
2. mi agenda / mi billetera / mis llaves / mi móvil
3. nuestras tarjetas / nuestros móviles / nuestras llaves
4. vuestro portátil / vuestra agenda / vuestro libro

B.

1. ese
2. este
3. esas
4. ese
5. estas
6. esa

6. El mundo en español

A.

también lenguas indígenas / también
se habla castellano / pero no todas son
oficiales / también guaraní / también

se habla español / pero que no está en
América / sino en África

B.

Nombre: Guinea Ecuatorial
Lenguas Oficiales: español, francés,
portugués
Capital: Malabo
Clima: ecuatorial

7. La ciudad de Laura

comercios / restaurantes / galerías
de arte / museos / gimnasio / cines /
facultad / parque / discotecas

8. Hablar de los lugares

1. ¿Hay una biblioteca cerca?
   Sí, hay una en la Facultad de
   Ingeniería.
2. Tobías es chileno, de Santiago, pero
   estudia en una universidad que está
   en el norte de Chile.
   ¿Sabes cómo se llama?
   No sé, pero es una universidad
   grande.
3. ¿Qué buscas?
   El móvil. ¿Sabes dónde está?
   En el coche hay uno.
   Ese móvil es de Maite.
4. Disculpe, ¿hay un supermercado en
   esta calle?
   Sí, pero está un poco lejos.
5. Mira, aquí tienes unos anuncios, hay
   muchas personas que quieren un
   tándem.
   ¡Es verdad! "Somos dos estudiantes
   ingleses y buscamos un tándem
   para clases de español."
6. Federico dice: "soy italiano y estoy
   en Granada con un intercambio.
   Me gusta mucho la universidad: los
   cursos son muy interesantes. En
   una de mis clases hay una chica
   finlandesa muy simpática. Se llama
   Hannele, es de Jyväskyla."

9. Conectores

1. solo / sino
2. pero
3. también / pero / además
4. además / también

10. Conocer una ciudad

A.
La ciudad de la que se habla es
Granada.

11. Erasmus

Erasmus / doce / nuevo / formación /
Programa de Aprendizaje Permanente
/ Erasmus Mundus / cooperación /dos

12. Salamanca

Salamanca es una ciudad atractiva
para un estudiante Erasmus. Es
pequeña, tiene 200 mil habitantes,
pero tiene dos universidades y muchos
estudiantes extranjeros. Salamanca
tiene mucha oferta cultural y es famosa
por la plaza mayor, la catedral y la
fachada de la universidad.

13. ¿Qué es para ti la ciudad ideal?

Las características que se repiten son:
- "con mucha vida" o "mucho ambiente"
- "limpia" o "con las calles limpias"
- "verde" o "con muchos espacios verdes"

UNIDAD 3

1. Aprendiendo, que es gerundio

A.

1. viendo
2. viajando
3. usando
4. haciendo
5. escuchando
6. escribiendo
7. repitiendo
8. leyendo y escuchando

2. Universidades

A.
Sugerencia:
1. La UBA es más nueva que la UNAM.
2. La UNAM tiene más estudiantes que la UGR.
3. La UCV es más vieja.
4. La Universidad Carlos III tiene menos estudiantes que la UBA.
5. La universidad de Granada es más vieja que la Universidad de Chile.

3. Consejos

1. tienes que
2. tienes que
3. tiene que
4. tenemos que
5. tienes que
6. tenéis que
7. tienes que
8. tengo que

B.
Se puede usar hay que en las frases
1, 2, 5, 7. Son consejos para todo
el mundo, no se dirigen a personas
concretas.

4. Herramientas de aprendizaje

Sugerencia:
1. ¿Cuál te gusta más?
   Esta, es la más clara.
2. ¿Cuáles prefieres?
   Estos, son los más baratos.
3. ¿Cuál prefieres?
   Este, es el más interesante.
4. ¿Cuáles prefieres?
   Las más baratas.
5. ¿Cuál prefieres?
   El más fácil.
6. ¿Qué diccionario en Internet usas?
   El mejor.
7. ¿Qué película te llevas?
   La más divertida.
8. ¿Qué carrera estudias?
   La más interesante.

Soluciones

6. Maneras de vivir

A.
1. tanto deporte como
2. tantas clases de baile como
3. menos horas de trabajo práctico que
4. menos actividades que
5. duerme tanto como
6. trabaja con su tándem tanto como

7. Test: ¿te gusta hablar idiomas?

1. qué
2. cuáles
3. qué
4. cuál
5. qué
6. qué
7. qué

8. El viaje de Valentina

A.
1. Berlín / Alemania / alemán
2. Londres / Reino Unido / inglés
3. Lisboa / Portugal / portugués
4. Madrid / España / Español
5. París / Francia / Francés
6. Praga / República Checa / checo
7. Varsovia / Polonia / polaco
8. Moscú / Rusia / ruso
9. Budapest / Hungría / húngaro
10. Bucarest / Rumanía / rumano
11. Sofía / Bulgaria / búlgaro
12. Roma / Italia / italiano

9. Lenguas que desaparecen

C.
En el texto aparece la palabra "morir" en el mismo sentido que la palabra "desaparecer".

D.
conocimientos ecológicos, secretos culinarios, secretos medicinales, antiguas mitologías

11. A mi manera

A.
Sugerencia:

Marisol
es individualista
es poco disciplinada

Sebastián
es muy comunicativo
es lúdico
le gusta experimentar la lengua

Leandro
es inseguro
prefiere tener un profesor

Laura
necesita compartir su proceso
es muy comunicativa

B.

sustantivo	adjetivo	verbo
seguridad	seguro	asegurar
experimento	experimentado	experimentar
responsabilidad	responsable	responsabilizar

lectura	lector	leer
organización	organizado	organizar
estudios	estudioso	estudiar
individuo	individualista	individualizar
comunicación	comunicativo	comunicar

UNIDAD 4

1. Conectar oraciones

A.
1. Claudia está enferma, por eso mañana no viene a clase.
2. A mi hermano le encanta la música clásica, pero a mí no me gusta nada.
3. Este es Samuel: como él conoce bien la ciudad, puede enseñártela.
4. Aunque me encanta la carne voy a pedir pescado.

B.
1. Aunque dicen que este sábado va a llover, yo pienso ir de excursión.
2. Hoy tengo cita con el médico, por eso no puedo ir a clase por la tarde.
3. Me encanta ir al cine, sin embargo hoy prefiero quedarme en casa.

2. Diario de Granada

A.
pero tengo una idea genial... / como mi objetivo más... / aunque mi nivel no es... / además iva a ser ... / sin embargo, el portugués me parece.... / también son muy simpáticos....

B.
¡Va a ser divertido! > futuro
Nos acabamos de conocer. > pasado

3. ¿Con o sin preposición?

1. a
2. ø
3. a / a
4. ø
5. a
6. a
7. a

4. Los compañeros de Lucile

1. vuelve de
2. traer de
3. lleva a
4. va a
5. viene de

5. Lo tengo yo

A.
1. La tengo yo. ¿La necesitas ahora? Sí, ¿puedes dármela?
2. ¿Dónde están las llaves del coche? Estoy buscándolas.
   Las tiene Ramón. ¿Las necesitas ahora mismo? Pídeselas.
3. ¿Y mis libros, ¿quién los tiene? Los tiene Lucía.
4. Lo tiene Santiago.
5. Lo tiene Pablo, es que lo necesita.
6. La está buscando pero no la encuentra.
7. Tu hermano las tiene en su billetera.

B.
1. le
2. les
3. te
4. te
5. me las
6. se lo
7. le

6. ¿Quieres comprártelo o no te lo quieres comprar?

A y B.
1. Acabo de verla en la Oficina Erasmus. > La acabo de ver.
2. Estoy buscando mi pasaporte y no lo encuentro.
3. No, ¿Puedes buscarlas en mi bolso, por favor? > ¿Las puedes buscar...?
4. Ahora no. Mis estudiantes me están esperando. > Están esperándome.
5. ¿No vas a presentarnos a tu amiga Raquel? > ¿No nos vas a presentar a...?

7. Un pueblo muy turístico

A.
Vivo en un pueblo que es pequeño pero muy bonito. Está cerca de una playa muy famosa a donde van muchos turistas durante el verano. Aunque viven muchos niños, hay pocas escuelas: solo hay dos, pero son muy grandes y con muchas instalaciones para los estudiantes. Mi pueblo es famoso por sus restaurantes, de hecho, hay varios con muy buena fama, muchos de los turistas que vienen a mi pueblo, vienen para comer. Por otro lado, hay pocas discotecas, por eso es muy habitual salir por la noche a otros pueblos que están cerca y donde hay muchas más discotecas que aquí. Creo que es un lugar muy agradable para pasar unas buenas vacaciones de verano, pero yo me aburro mucho cuando llega el frío: entonces hay pocos turistas, la gente sale poco y las calles, las tiendas y los bares están poco animados.

B.
Son cuantificadores.
Muy y poco acompañan a adjetivos y adverbios y son invariables.
Mucho/a/os/as y poco/a/os/as acompañan a sustantivos y a verbos o van solos. Si acompañan a un verbo son invariables y van detrás.

8. Culturas lejanas

1. sin embargo / también
2. aunque
3. por eso / aunque
4. aunque / y

9. Erasmus

1. rellenarlos
2. preguntarles
3. llevarlo
4. llamarla
5. leerlas
6. escribirle
7. pedirlo
8. discutirlos
9. apuntarlos
10. mandarlos
11. darle
12. preguntarle

11. En mi ciudad hay...

B.
Colorido, famoso, turístico, pintoresco, alegre.

12. Perdone, ¿puede usted indicarme?

Sugerencia:
La cafetería > Tira recto por esta calle y gira en la primera esquina a la izquierda, cruza dos calles y en esa esquina a la derecha está la cafetería.

El banco > Sigues recto por esta calle y en la tercera esquina a la izquierda está el banco.

El polideportivo > Caminas por esta calle recto hasta la parada del autobús, allí giras a la izquierda hasta la plaza, cruzas la plaza y sigues por la misma calle. En la segunda esquina está el polideportivo.

La biblioteca > Siga recto por esta calle hasta la parada del autobús y allí lo toma y se baja en la parada de los grandes almacenes. Entonces camina hasta la esquina de abajo y toma esa calle hacia la izquierda. En la primera esquina está la biblioteca.

13. Servicios

Sugerencia:
(de izquierda a derecha y de arriba a abajo) autobús / bomberos / farmacia / hospital / iglesia / biblioteca / información / correos / banco / hotel

14. Medios de transporte

(de izquierda a derecha y de arriba a abajo): autobús / bicicleta / tren / tranvía

UNIDAD 5

1. Consejos para ir al extranjero

A.
1. háztelo
2. ponte
3. ve
4. sé
5. ven
6. ten

B.
1. Traed primero las cajas de libros.
2. Vengan por la tarde.
3. Di lo que piensas.
4. Oye lo que te dicen.
5. Haced lo que os digo.
6. Muéstrame lo que tienes en la mochila.
7. Repitan los mismos ejercicios.
8. Ríase de la gente.
9. Sigue practicando los verbos.

C.
1. Podríais traer primero las cajas de libros.
2. Pueden venir por la tarde.
3. Tienes que decir lo que piensas.
4. Tienes que oír lo que te dicen.
5. ¿Podríais hacer lo que os digo?
6. Tienes que mostrarme lo que tienes en la mochila.
7. Pueden repetir los mismos ejercicios.
8. Tiene que reírse de la gente.
9. Puedes seguir practicando los verbos.

3. Cosas que hay que hacer

A.
Sugerencia:
Podrías barrer el suelo una vez por semana.
Riega las plantas dos veces por semana.
Tienes que tirar la basura cada día.
Tendrías que limpiar la cocina después de cocinar.
Podrías cocinar la carne que hay en la nevera antes del fin de semana.

B.
Sugerencia:
Juanjo, ¿podrías lavar la ropa, por favor?
Tienes que barrer el suelo una vez por semana, ¡acuérdate!
¿Te importa regar las plantas?
Tira la basura, por favor.
¿Podrías limpiar la cocina después de cocinar?
¿Te importa cocinar la carne que hay en la nevera antes del fin de semana?

4. Favores

hazme un favor... / ve a la biblioteca... / búscala en la base ... / rellena el formulario... / entregárselo la semana... / llámame por teléfono...

5. ¿Cuándo tienes clase?

1. Los lunes y los jueves, por la tarde.
2. Todos los fines de semana.
3. En agosto y a veces en Semana Santa.
4. Todos los martes, de 10.00 a 12.00.
5. A las 14.00.
6. Tarde. Hoy trabaja hasta las 10.00 de la noche.
7. Gracias, me ducho primero y después de ducharme me lo tomo.
8. A mí me encanta escuchar música mientras trabajo.

6. Un día en la vida de Manuel

Sugerencia:
Primero ha tenido clase en la universidad. Después ha estado en la biblioteca durante una hora y cuarto y luego ha comido. Después de comer ha repasado inglés antes de hacer el examen. Después del examen ha tenido más clases y luego ha ido a jugar al baloncesto y a tomar algo con los del partido. Finalmente ha llegado a casa, se ha hecho la cena, ha cenado y ha visto una película.

7. Hoy ha sido un día fatal

1. Me he levantado tarde y no he podido ducharme.
2. No he tomado el metro de siempre y he llegado tarde a la facultad.
3. Me he sentido mal todo el día.
4. He perdido las llaves de casa, no sé dónde las he dejado.
5. No ha funcionado la conexión a Internet y he estado todo el día incomunicado.
6. Me he olvidado el móvil en el bar donde he tomado un café frío.
7. No he podido llamar a nadie no organizar mi fin de semana.
8. No he tenido tiempo ni para comer y lo poco que he comido ha sido horrible.
9. He llegado a casa tardísimo, cansado, nervioso, y de mal humor.
10. He discutido con todo el mundo y les he gritado a mis compañeros de piso.

8. ¡Anímate y cómpratelo, hombre!

Dásela. > la agenda > tú > a él/ella
Póntelo. > el sombrero > tú > a ti
Lléveselas. > las plantas > usted > a él/ella/ellos/ellas
Tráeselos. > los formularios > tú > a él/ella/ellos/ellas
Míreme. > (yo) > usted >
Léamelo. > el artículo > usted > a mí
Pensadlo. > lo que acabo de decir > vosotros >

9. Anuncios

1. A
2. D
3. C
4. B

13. Rehabilitación

En Venezuela, la UNESCO declara a las ciudades de Coro y La Vela patrimonio cultural de la humanidad porque tienen interesantes centros históricos. Pero es necesaria una reconstrucción para conservarlas. Existe un programa que el Estado venezolano fnancia. Después de la reconstrucción, la calidad de vida de la población va a mejorar. No sólo el estado sino también los habitantes participan en el programa. Les interesa cuidar y revitalizar las tradiciones y costumbres de región.

Soluciones

14. Pros y contras

B.

Sugerencia:
Piso grande, de 70m², 3 dormitorios, sala de estar, cocina y balcón. Es un ático, no tiene ascensor, tiene 4 pisos. El edificio es antiguo, tiene luz y buenas vistas (a un parque), está completamente rehabilitado. Cuesta 280 euros al mes, calefacción, luz y teléfono aparte. Tiene wifi y el piso es compartido entre tres personas.

16. Mudanzas

(Palabras en el sentido de las agujas del reloj): maceta, librería, mesilla, silla, mesa, felpudo, sofá, sillón, alfombra, televisor, ducha, cama, armario, cajones.

UNIDAD 6

1. Los problemas de Vicente

A.

Sugerencia:
1. No veas tanta televisión; apágala un rato antes de irte a dormir.
2. Entonces fuma menos.
3. Entonces es mejor pensar menos en el trabajo y más en otras cosas.
4. Intenta tomar menos café, puedes tomar té en su lugar.
5. Es mejor que trabajes menos y duermas más.
6. No salgas tanto, y sal solo si al día siguiente no tienes que trabajar.
7. Puedes hacer una dieta y acostumbrarte a la comida sana.
8. Es mejor pasar menos tiempo jugando a videojuegos y más tiempo estudiando.

B.
1. Habla con ella de lo que quieras: lo importante es que muestres interés y simpatía.
2. Hazte muchas preguntas a todo el mundo le encanta hablar de sí mismo.
3. Muéstrale que te interesa todo lo que cuenta.
4. Si estás solo, triste y deprimido, no se lo cuentes.
5. No le preguntes si está sola.
6. Nunca te vayas sin su número de teléfono.
7. No hables de ligar: ¡liga!

2. ¡No lo hagas!

1. Dásela. >
   No le des la libreta a Ernesto. >
   No se la des.
2. Póntelo. >
   No te pongas el jersey. >
   No te lo pongas.
3. Súbanlos. >
   No suban los muebles, por favor. >
   No los suban.
4. ¡Llévatelas! >
   ¡No te lleves las cerezas, mujer! >
   ¡No te las lleves!

5. Búscalo. >
   No lo busques en internet. >
   No lo busques.
6. Tráeselos. >
   No le traigas los apuntes a Javier. >
   No se los traigas.
7. Escríbanlo. >
   No escriban su nombre completo. >
   No lo escriban.
8. Cómpralas. >
   No compres las copas esta tarde. >
   No las compres.

3. Pretérito Indefinido

A.

verbos regulares	verbos irregulares
visité, viajé, trabajé, viví, conocí, volví, pasé, conté, comí, llegué, me alegré, me quedé, me reí	estuve, fui, fui, quise, pude, hice, supe, puse, conduje, vine, tuve, dije, vi

B.

Ayer vi a Juan en la calle y me dijo que quiere ir a estudiar al extranjero. Yo me alegré por él y le pregunté por la opinión de su novia, Sara. Él me dijo que Sara y él ya no están juntos. ¡Aquello fue una sorpresa para mí! Me quedé callado y al final dije: ¡lo siento! Juan se rió y dijo "No te preocupes, estas cosas pasan". Supongo que sí, que estas cosas pasan. Además, según me contó Juan, aquello fue algo bueno para los dos.

4. Un incendio en Madrid

A.
1. han podido, empezó
2. han trabajado
3. avisó
4. hemos visto, ha quedado, ha resistido
5. destruyó, comenzó, se prolongó, se quemó, empezaron
6. ha sido.

B.

con Pretérito Perfecto
aún
estos dos días
esta semana

con Pretérito Indefinido
medianoche del sábado 12
ayer
la noche del 12 de febrero de 2005

6. El viaje de Michael por España

- El verano pasado estuve en España.
- Todas están muy bien,...
- Estuve en Bilbao en septiembre... / el casco antiguo es precioso, está al otro lado del río...
- ¿Cuándo estuviste en Granada?
- En Granada estuve durante la primera semana.... / el Albaicín es un barrio muy luminoso... / la Alhambra es espectacular, es el edificio...

7. Si se trabaja...

1. Si se firman leyes contra la caza comercial y científica de los cetáceos, se garantiza el ciclo de vida y su hábitat natural.
2. Si se desarrolla el ecoturismo, se desarrollan las poblaciones de la costa.
3. Si la ciudadanía se organiza se pueden lograr muchas cosas buenas, como lo demuestra la campaña "Chile 2008: santuario de ballenas".
4. Si se declara una zona de protección para las especies, se garantiza su ciclo vital y hábitat natural a largo plazo.
5. Si se protege a las ballenas de la caza comercial y científica, estas vuelven a sus lugares originales de alimentación y reproducción.

8. Campañas de prevención

Sugerencia:
1. Para pasarlo bien no se puede tener en la cabeza el temor al embarazo.
2. No se deben mezclar el alcohol y los medicamentos.
3. Si se consume cannabis se corre el riesgo de perder memoria.
4. No se puede conducir cuando se ha tomado alcohol.

9. ¿Ser o estar?

A.

ser
auténtico/a, ecológico/a, gratis, típico/a, internacional, mediano/a, prestigioso/a, racista, pacifista

estar
contento/a, de buen humor, preocupado/a

B.
1. Antes de un examen estoy muy nervioso, pero en realidad no soy una persona nerviosa.
2. ¿Qué le pasa a Juan que hoy está tan simpático con nosotras?
3. Dicen que Vitoria es una de las ciudades más limpias de España.
4. Maite está muy tranquila porque acaba de terminar sus exámenes.
5. Somos solidarias, activas y serias: ¡justo lo que piden en este anuncio de trabajo!
6. Esta música es horrible.
7. Los chicos están tristes porque llegan las vacaciones y se acaban las clases de castellano.
8. Barcelona y Buenos Aires son ciudades renovadas.
9. Es triste tener que volver al trabajo después de las vacaciones.

11. Estudiantes de español en Argentina: un estudio

A.
1. Universidades e institutos terciarios.
2. 20 horas.
3. Un 3 por ciento se queda un año.
4. Grupales.

5. Proceden de Europa, sobre todo.
6. Hasta 15 años.
7. El turismo y aprender español son los principales motivos.
8. En hostales o casas familiares.

B.
1. g
2. b
3. h
4. c
5. f
6. a
7. e
8. d

12. Familias de palabras

romper: rompedor, ruptura, roto, irrompible
persona: personaje, impersonal, personalmente, personalizar, personarse
luz: iluminar, luminoso, iluminado, iluminador
superar: superación, superado
escribir: escrito, escribiente, escritura, escritor, escribano
razón: irracional, razonar, razonablemente, razonable, racional, sinrazón

UNIDAD 7

1. Ayer estaba haciendo los ejercicios...

1. De la biblioteca de la escuela de español, es muy agradable. Hoy había un grupo de Erasmus leyendo periódicos, unas chicas francesas viendo videos, un chico finlandés trabajando con su tándem y un señor buscando un diccionario de chino.
2. A Alfonso, de niño, le encantaba leer. Leía en la escuela, en el autobús, cuando iba a visitar a su abuelita, y lógicamente, en casa. Por la noche, en la cama antes de dormir, seguía leyendo.
3. En casa, estaba cenando con amigos. ¿Por qué lo preguntas?
4. Me interesan los programas de intercambio de Ecuador y Bolivia. En Ecuador conozco gente, pero en Bolivia puedo trabajar en el proyecto de la radio solidaria. No lo sé, todavía lo sigo pensando.
5. Hombre, Miguel, ¿qué tal? ¿Sigues viniendo a este bar?

2. De Madrid al cielo

Generalmente no (me levantaba) muy tarde, (me duchaba) y (tomaba) un café en el bar de la universidad antes de ir a clase. La primera (empezaba) a las diez de la mañana y (era) de Derecho Internacional. Después (tenía) otra de Derecho Comunitario. Eso los lunes. Los martes no (tenía) clases: (iba) a la biblioteca o (estudiaba) con mi grupo de trabajo. En ese

grupo (había) tanto españoles como Erasmus. Me (ayudaban) con los apuntes, me (explicaban) las cosas que no (entendía) y a veces me (corregían) los ejercicios. Después (comíamos) en la cafetería de la universidad. Ahora que lo pienso, nadie (cocinaba) en casa aunque (vivíamos) en un piso compartido. A mí la comida me (gustaba) mucho porque no (se parecía) en nada a la comida a la que (estaba) acostumbrado. Además (era) muy barata. Por las tardes, los martes y los viernes, (iba) al polideportivo porque yo juego al fútbol y también me gusta nadar. El miércoles (era) mi día preferido porque con otra chica holandesa, Lieve, (íbamos) al Laboratorio de Lenguas. Nos (encantaba). Pero lo que más me (gustaba) (era) cuando (me encontraba) con mi tándem. Cuando (tenía) tiempo me (llevaba) por la ciudad y me (enseñaba) cafés y librerías que yo no (conocía) Yo le (enseñaba) neerlandés porque algún día, siempre me (decía), (quería) vivir en Utrecht. Creo que (conocía) a alguien que (vivía) allí. A mí me parece que (estaba) enamorada pero nunca (hablaba) de eso. La verdad es que (ponía) muchísimo interés y (apuntaba) todo lo que yo le (explicaba).

Yo lo sé por experiencia: desde que viví con Mariluz he aprendido muchísimo español. En realidad todos los días (hacía) más o menos lo mismo, pero nunca (me aburría). ¡Para mí todo (era) nuevo! La gente, la universidad, la ciudad, la comida... Algunos fines de semana Mariluz y yo (íbamos) a la sierra, (caminábamos) horas y horas, también (visitábamos) pueblos que (había) cerca. Creo que nunca he disfrutado tanto en mi vida. Si un día podemos, seguro que volvemos a Madrid.

3. Internet: un antes y un después

A.

quería / escribía / iba / tirada / me equivocaba / tenía / era / decían / eran / necesitaba / había / leías / podías / ibas / podías / encontraba / buscaba / usaba / podían

4. Los gustos cambian

A.

Iñaki de niño
Era tímido.
Tenía el pelo rubio.
Odiaba el queso.
Comía muchas chucherías.
Le encantaba el arroz de su madre.
No le gustaba el pimiento.

Iñaki ahora
Ya no es tímido, le encanta estar con gente.

Ya no tiene el pelo rubio, lo tiene castaño oscuro.
Sigue odiando el queso.
Sigue comiendo muchas chucherías.
Sigue encantándole el arroz de su madre.
Sigue sin gustarle el pimiento.

5. Postales

Sugerencia:
¡Que lleguemos a 100 años más!
¡Que pases una feliz Navidad!
¡Que cumplas muchos más!
¡Que tengas una feliz llegada al mundo!

6. ¿Sabes cocinar?

1. Las patatas, después de pelarlas, es mejor dejarlas en agua hasta el momento de cocerlas.
2. Es mejor no aliñar la ensalada si quieres conservarla para el día siguiente. Si quieres hacer una salsa, es recomendable dejarla aparte.
3. Si quieres cocinar para mucha gente es importante recoger y limpiar primero la cocina: ¡es más cómodo!
4. Algo importante al cocer la pasta es escurrirla y comerla enseguida.
5. Deja el ajo muy poco tiempo en aceite cuando lo fríes, porque se quema enseguida.
6. Es fundamental saber qué vas a cocinar cuando vas al supermercado para no comprar demasiado.

7. ¿Sabías que...?

B.
Sugerencia:
Hola Simon, ¿qué tal? Seguro que lo estás pasando muy bien, pero... ¡creo que te has hecho un lío con la información! Mira, los chilenos toman el té entre las 4 y las 7 de la tarde, la palabra "once" es solo un código. En España prefieren el café al mate. El San Martín se celebra en España, no en México, y además se celebra el 11 de noviembre, no en agosto. Y finalmente: no ves calaveras por ningún lado porque esta es una tradición mexicana, no Argentina.
En fin, espero que sigas disfrutando y que avances en tus clases de español para entender mejor lo que lees la próxima vez ;-)

8. ¡A la mesa!

	1	2	3
Dónde come:	....	cafetería	bar cerca de la oficina
Con quién come:	con la familia	con otros estudiantes	con compañeros de trabajo

Soluciones

Alimentos:	pan, vino, ensalada	sopa, ensalada, verdura, carne, pescado	bocadillo

10. Taller de palabras

insoportable, incalculable, incalculado, irrompible, imponible, imponente, impresionante, impresionable, desabrochar, desabrochado, descomponer, descompuesto, desorientado, desestructurado

UNIDAD 8

1. El amor lo cambia todo

A.

1. Antes de estar contigo estaba deprimido, mi vida era monótona y no tenía sentido. Pero el día que te conocí cambió completamente

2. Cuando no te conocía pensaba que las historias de amor eran una tontería o un invento, pero entonces apareciste tú y empecé a verlo de otra forma. Ahora pienso en ti a todas horas y hasta te escribo cartas de amor.

3. Antes era una persona poco sociable, solo hablaba con Sócrates, mi loro. Pero llegaste y me enseñaste qué es la felicidad. Contigo aprendí a reírme de todos mis problemas. Mucho más: iahora ya no tengo problemas!

B.

Las acciones que interrumpen están en Pretérito Indefinido. Las acciones interrumpidas y las descripciones de circunstancias están en Pretérito Imperfecto.

3. Un relato policíaco

Era un domingo de agosto. No había nadie en el piso de los estudiantes Erasmus. Alessandra estaba en la biblioteca y Sandrine, a esa hora, estaba tomando una copa con unos amigos.

Esa noche Alessandra llegó tarde a casa. Abrió el portal, subió las escaleras y... ¿qué vio ?

¡La puerta estaba abierta y el piso desordenado!

Alessandra decidió llamar a la policía. Al día siguiente vino la detective Hurtado, que examinó el piso y le hizo muchas preguntas. Después, bajó al primer piso para hablar con un vecino.

El vecino del primero era un tipo raro. Vivía solo. Tenía un loro que se llamaba Sócrates y a menudo hablaba con él. Le contaba sus cosas y el loro siempre lo escuchaba atentamente. No sabía

muchas palabras. Podía decir: ¡sí!, ¡no!, ¡hola!, y ¡Felipe, eres el mejor! En realidad Felipe –así se llamaba el vecino– no necesitaba nada más. La noche del robo los dos estaban en casa, como todas las noches.

Después de hablar con Felipe, la Sra. Hurtado subió al tercero, al piso de la señora Dolores. Llamó dos o tres veces. Finalmente la señora Dolores abrió la puerta, la invitó a pasar y le ofreció una cerveza. La detective dijo que no y empezó con las preguntas. La vecina le contó lo siguiente.

La noche del robo estaba mirando las noticias. Eran más o menos las nueve. Todas las noches miraba las noticias y cenaba en casa. Nunca salía de noche a la calle porque le parecía peligroso. Antes todo era diferente: siempre se sentaba en la calle las noches de verano a charlar con sus vecinos, nadie cerraba las puertas ni las ventanas. Se podía vivir tranquilo. El problema era que la detective Hurtado no tenía tiempo para charlar...

4. ¿Qué pasó? ¿Cómo estaba el piso?

- Bien. Cuénteme dónde estaba la noche del robo.
- En la biblioteca, estudiando. A las ocho menos cuarto me levanté, tomé mis cosas y volví a casa con Sebastián.
- ¿Quién es Sebastián?
- Uno de los chicos que comparte el piso conmigo.
- ¿Fueron directamente a casa?
- No. Pasamos antes por el supermercado, compramos algo para comer y...
- ¿Y después?
- Entramos al bar que está enfrente a tomar una cerveza.
- ¿Por qué no subieron directamente al piso?
- Era una noche estupenda, hacía calor, teníamos ganas de estar en la calle... ¿A usted no le gustan las noches de verano?
- Las preguntas las hago yo. ¿A qué hora subieron al piso?
- Más o menos a las diez.
- ¿Y entonces?
- Cuando llegamos , la puerta estaba abierta, la luz encendida y todo muy desordenado
- ¿Y después? ¿Qué hicieron ?
- Poner un poco de orden... Y así nos dimos cuenta de que faltaban cosas.
- De acuerdo, dígame lo que faltaba.
- Pues dinero, una maleta, la bicicleta de Sandrine.
- ¿Dónde estaba?
- ¿Quién? ¿Sandrine?
- No, la bicicleta.
- En el balcón, con la maleta, es que acabamos de cambiarnos de piso y...
- ¿Cuánto dinero había ?
- Unos 500 euros.
- ¿Y por qué tenían tanto dinero en casa?

- Queríamos hacer una fiesta.
- Bien, ¿puedo hablar ahora con la otra persona que vive en el piso?

5. Un argumento de película

tienen > tenían / dejan > dejaron / se rompe > se rompió / continúan > continuaron / encuentran > encontraron / van tomando > fueron tomando / lleva > llevó / impresionan > impresionaron / llegan > llegaron / se quedan > se quedaron / ayudan > ayudaron / pasan > pasaron / comienzan > comenzaron / despiertan > despertaron / define > definió

6. Pasaporte lingüístico

Mi nombre es Valentina Conku y soy de Esslingen, Alemania. Vivo en Berlín desde hace tres años. Entre los años 2006 y 2007 fui a clases de español en mi ciudad, Esslingen. Ahora estudio Filología Hispánica en la Universidad de Potsdam desde el año 2007, es decir que hace varios años que estudio español. Además, hace dos años estuve de vacaciones en Málaga, Andalucía, y ahora estoy trabajando de au pair en casa de una familia colombiana que vive en Berlín. Desde que trabajo allí, practico mucho español. También hice tres meses de prácticas en la escuela Sancho Panza de Berlín, ayudando a la jefa de estudios en la organización de los cursos.
Hace dos años que tengo un tándem: es una profesora argentina que quiere aprender alemán. Desde que escucho tantos acentos y dialectos (el castellano de Argentina, de Colombia, de España...) estoy aprendiendo mucho más, pero a veces también me confundo. Quizá el próximo verano voy a ir a Tenerife: unos amigos de la familia colombiana me preguntaron si quería cuidar a sus hijos durante las vacaciones, desde julio hasta septiembre. Pero todavía no sé si voy a ir porque es mucho trabajo, mucho tiempo y no está muy bien pagado. Prefiero trabajar en Berlín, ahorrar dinero y visitar a mi familia: ihace mucho tiempo que no la veo!

7. ¿Por ella o para ella?

Destino: 4, 11
Fecha límite: 1
Finalidad: 2, 3, 8,10, 12
Destinatario: 5, 7, 9
Causa: 13
Localización en el tiempo: 6

8. Sor Juana Inés de la Cruz

A.

El texto también puede aparecer escrito en Presente de Indicativo. Se conoce como Presente Histórico.

B.

Sor Juana Inés de la Cruz (1651–1695). Escritora mexicana
Juana Inés de Asbaje y Ramírez nació

en un pueblo del valle de México, San Miguel de Nepantla, el 12 de noviembre de 1651. Fue hija de madre mexicana y de padre vasco. Es reconocida como la mayor figura de las letras hispanoamericanas del siglo XVII.

De niña aprendió náhuatl con sus vecinos. A los tres años sabía leer y escribir y a los ocho escribió su primer poema. Descubrió la biblioteca de su abuelo y así empezó a interesarse por los libros. Aprendió todo lo que era conocido en su época: leyó a los clásicos griegos y romanos y la teología del momento y aprendió latín como autodidacta escuchando las clases que recibía su hermana. Admirada por su talento, a los catorce años fue dama de honor de Leonor Carreto, esposa del virrey Antonio Sebastián de Toledo y brilló en la corte virreinal de la Nueva España por sus amplios conocimientos y por su habilidad escribiendo versos.

Quiso ir a la universidad, incluso pensó en vestirse de hombre para poder estudiar y desarrollar sus intereses intelectuales, pero finalmente decidió que lo más fácil era hacerse monja. Aunque ya era famosa y admirada, en 1667 entró en un convento y fue monja durante toda su vida.

Su celda se convirtió en punto de reunión de poetas e intelectuales. Allí realizó experimentos científicos, reunió una gran biblioteca, compuso obras musicales y escribió una extensa obra que contenía diferentes géneros, desde la poesía y el teatro hasta tratados filosóficos y estudios musicales. También fue administradora del convento.

A pesar de las críticas recibidas por la Iglesia, la poetisa siempre defendió el trabajo intelectual de las mujeres. Pero poco antes de su muerte, ya en la época de la Santa Inquisición, la Iglesia la obligó a deshacerse de su biblioteca y de su colección de instrumentos musicales y científicos. Sor Juana Inés de la Cruz murió por una epidemia el 17 de abril de 1695, a los cuarenta y tres años.

9. Amor a primera vista

B.
Situación habitual:
estaba estudiando en la universidad...

Situación que ocurre en el momento del que se habla:
Ella estaba sonriéndome...
Yo estaba intentando volver a leer...
¿estás estudiando aquí?
¿Y lo estás consiguiendo?

10. La vida de Carolina

En el instituto, Carolina formó parte de un grupo de circo en el que aprendió

malabares, equilibrios y a montar en monociclo. Luego se fue a Bilbao, donde se aficionó al surf. Y es que en las playas de Vizcaya hay unas playas magníficas. Ya en el Cairo aprendió a volar en parapente. En Egipto estudió un año. Ahora ya ha acabado la carrera, lo aprobó todo con buenas notas. No ha cogido un libro en todo el verano.

11. Silencio, se rueda

A.
Sugerencia:
melodrama
comedia
thriller (o película de suspense, o película policíaca)
película de terror
película de acción
película de aventuras
película de ciencia ficción
musical
película de fantasía
película pornográfica
película del oeste
...

UNIDAD 9

1. Busco habitación

A.
¡Hola! Estoy buscando habitación en un piso que sea luminoso y tenga balcón o terraza. No tiene que ser céntrico. Prefiero que esté cerca de la universidad para poder ir caminando. El piso que tengo ahora no me gusta porque escaro y no tiene mucha luz. Me gustaría compartirlo con una persona que también estudie, pero lo que más me interesa es que esa persona sea de América Latina o de España, porque lo que yo quiero es hablar en castellano. ¡Ahora vivo con un alemán y solo hablamos inglés! Interesados llamar al 627532835.

B.
Características de su piso actual:
caro, poco luminoso (Presente de Indicativo)
Características de su piso futuro:
luminoso, balcón o terraza, no céntrico, cercano a la universidad (Presente de Subjuntivo)
Características de su compañero actual: es alemán y habla en inglés con él (Presente de Indicativo)
Características de su compañero futuro: que sea español o hispano y que hable en español con él (Presente de Subjuntivo)

2. Un posible trabajo para Pilar

... personas que quieran trabajar...
... personas jóvenes, que sepan español...
... que puedan trabajar tres horas...
... que no sean mayores de veinticinco años...

3. ¿Subjuntivo, Indicativo o Infinitivo?

1. ser
2. ir, vengas
3. vayamos, vayamos
4. hagas, haces
5. rellenar, rellenes
6. dímelo
7. hablar, ir
8. busques, hable, habláis

4. Consejos del sabelotodo

A.
Un sabelotodo es aquel que piensa que sabe sobre todos los asuntos y habla con las demás personas como su profesor o su tutor.
Un mandón es quien piensa que el resto de personas son sus empleados y él su jefe y puede ordenarles lo que quiera.

B.
lleven, aprendan, cambien, hagan
leas, hagas, mires, vayas, escuches, busques, viajes, compres
haga, vaya, compre, ordene, haga, meriende

5. ¿Qué había pasado antes?

1. había nacido
2. habían ofrecido
3. habían dado
4. había comido

6. Mundeta

Esa mañana mi madre entró en mi habitación gritando. Pensaba que no había dormido en casa, cuando yo, en realidad, acababa de despertarme. Se lo expliqué, pero ella no quería entender. Y para peor, la abuela también comenzó a opinar. Ya sabes que mi abuela es muy católica y que se pasa horas y horas rezando el rosario y no me deja dormir. Mi madre no hacía otra cosa que protestar, diciendo que la universidad me había cambiado, que ya no era la misma. Yo intenté contarles que quería irme de casa por unos días, pero no había manera.

Mi abuela tenía miedo. Me preguntó si yo había hecho algo feo, que es su manera de saber si yo estaba embarazada. Yo seguí insistiendo, pero no había forma de convencer a mi madre, no quería escucharme y solamente repetía que había que esperar a mi padre. Finalmente, no pude hacer otra que explicarles la verdad. Ya no tenía ganas de escuchar todo lo que habían hecho por mí, que si me habían comprado todos los vestidos que quería, que si me habían mandado a Inglaterra a estudiar... Así fue que les dije simplemente que tenía que irme porque la policía podía venir a buscarme.

Soluciones

7. ¿Cuándo suceden estos acontecimientos?

A y B.
Cuando llegues... (todavía no ha sucedido)
Cuando tengo... (ya ha sucedido)
Cuando compraron...(ya ha sucedido)
Cuando terminé...(ya ha sucedido)
Cuando comprendáis...(todavía no ha sucedido)
Cuando tengamos...(todavía no ha sucedido)
Cuando llegué...(ya ha sucedido)
Cuando comprendimos...(ya ha sucedido)
Cuando terminéis...(todavía no ha sucedido)
Cuando tenía...(ya ha sucedido)

8. Valentina en Antigua

A.
Este año Valentina ha hecho un curso de español en Antigua, Guatemala. Le ha parecido muy interesante porque no sólo ha aprendido gramática sino muchas cosas sobre el país. Además ha conocido muchísima gente de otros países. Nunca había estado en América Latina. Piensa volver el verano que viene. Me lo ha dicho hoy.

Para ella, un día normal durante el curso era así: se levantaba temprano, a eso de las ocho. Desayunaba y tomaba el autobús que la llevaba a la escuela. Las clases empezaban a las 9.30. La profesora traía el periódico y les leía las noticias del día y las comentaban. Libros no tenía, pero sí una gramática que le había regalado Fernando en el aeropuerto. En la primera página decía : "Para Valentina, para que mientras estudies, pienses en mí". Pero entonces, Valentina todavía no había decidido si seguir con Fernando o no... La profesora hablaba un castellano muy claro y lento y por eso Valentina comprendía todo lo que decía. Sus primeras clases de español, en cambio, habían sido totalmente diferentes: su profesora creía que aprendía escribiendo y por eso tenía que escribir todos los días textos larguísimos sobre temas que no le interesaban.

B.
Le ha parecido muy interesante... (a ella, OI)
Me lo ha dicho hoy. (a mí, OI) (Piensa volver el año que viene. OD)
El autobús que la llevaba... (a ella, OI)
Les leía las noticias del día ... (a los alumnos, OI)
Una gramática que le había regalado... (a ella, OI)
Temas que no le interesaban... (a ella, OI)

9. Noticias curiosas

A.
La noticia falsa es la C: Una editorial lanza cromos de los delincuentes más buscados.

10. Las líneas de Nazca

2. Es cierto que los dibujos los hicieron personas de la cultura Nazca.
3. No es cierto que los dibujos sean profundos.
4. No es cierto que los dibujos sean, claramente, de origen religioso.
5. Es cierto que las líneas de Nazca solo se ven desde lejos, sobre todo desde el aire.

11. ¿Profesión u objeto?

A.
profesión: el camarero, el cocinero, la banquera, la obrera
objeto: el cenicero, la ensaladera, el maletero, la papelera
otros: el cero, el cuero

B.
la cámara, la cocina, el banco, la obra, la ceniza, la ensalada, la maleta, el papel, el rincón

C.
jardinero, cartero, enfermero, niñero, relojero, reportero, zapatero

UNIDAD 10

1. Estrategias

1. Isabel tiene una niña que empieza a caminar. Todo el día tiene que estar muy atenta para que no se caiga, no ponga las manos donde no debe ponerlas, no se coma las plantas, no se tome el detergente...
2. Para ser feliz hay que aprender a ver las cosas negativas desde diferentes puntos de vista y pensar que son momentáneas.
3. Para no perder tiempo vamos a hacer lo siguiente: mientras tú vas al supermercado, yo limpio la casa. Y para que la cena esté lista a las ocho, vamos a llamar a Sebastián, para que nos ayude a poner la mesa.
4. Te presento a Pilar; está de Erasmus en mi universidad. Ha venido para aprender alemán y escribir su tesis. ¿Por qué no le muestras la facultad? Y para que sepa dónde hay buen ambiente, llévala a tomar un café y a dar un paseo por la ciudad. ¿De acuerdo?
5. A Carlos le encanta bailar el tango. Le he traído un DVD de Buenos Aires para que tenga una idea cómo lo bailan allí y para que se lo muestre a sus amigas. No es fácil bailar el tango bien y para bailarlo hay que practicar mucho.

2. Problemas familiares

Después de llegar a casa / hasta que empezó la universidad / hasta que llegue el padre / antes de que sea demasiado tarde / hasta hablar con su padre / después de escuchar muchas preguntas / después de enterarse de la verdad

3. ¡Excusas!

1. Es que ayer tuve fiebre y además se me derramó la leche encima de la libreta y se estropeó.
2. Es que no le gusta el regalo porque ya lo tenía.
3. Porque tenía mucho que hacer y además quería ver una película en la tele.
4. Lo siento, es que he quedado con Susana porque es su cumpleaños.
5. Lo siento, es que soy vegetariano y además estoy a dieta.

4. Causas y consecuencias

A.
1. (así que) e
2. (porque) f
3. (así que) d
4. (por) b
5. (así que) c
6. (porque) a

B.
- Como no teníamos ganas de cocinar y además el refrigerador estaba vacío, decidimos pedir pizza por teléfono.
- Como Juan Carlos estudia en Salzburgo desde hace poco y todavía no se ha adaptado a la comida austríaca, los padres le mandan queso y jamón del pueblo.
- Como Elena no pudo adaptarse al estilo de vida francés, volvió a Lugo después de unos meses.
- Como, aunque la gente piense otra cosa, sus resultados académicos son brillantes, a Alberto le han dado la beca.

6. Reacciones

Sugerencia:
1. Me parece fenomenal que tenga un coche nuevo, realmente lo necesitaba.
2. Es una pena que esté enferma, quizá el fin de semana se sienta mejor y venga.
3. A mí no me gusta que haya clase el sábado, es el único día de la semana que puedo hacer un poco de deporte.
4. No me importa que vengan este fin de semana, pero tienen que saber que estoy preparando exámenes y no tengo mucho tiempo para salir.
5. ¡Me da igual que esté en Canarias o en las Seychelles! Lo único que quiero es que alguien venga a arreglármela.

8. El mundo al revés

A.
Había una vez un país donde los economistas llamaban nivel de vida al nivel de consumo, y calidad de vida a la cantidad de cosas. El gobierno estaba en guerra contra los pobres y no contra

Hola Simon!

Como estas! Espero bien! Seguro que lo
estás pasando muy bien, pero creo que te
has hecho un lío con la información!

Es verdad, en Chile los chilenos toman
té todos los días y pero la palabra 'once'
se usa no por el tiempo en que se
sirve, pero la cantidad de letras en
de la palabra 'aguardiente' —
actualmente se sirve entre ~~tyt~~ la
y las ~~7~~ en la tarde!

Segundo, es verdad que los Argeninos
toman mate, pero ~~Aeer ver~~ comparten esta
costumbre con Uraguay, Paraguay y
de Brasir — no con Bolivia! Además,
los españoles casi nadie toman mate —
pero toman café todo lo tiempo —
mas o menos 600 tazas de café el año

la pobreza. Una parte del mundo se moría de hambre y otra se moría de indigestión, es decir, comía más de lo necesario y se enfermaba.
Se trataba a las niñas y niños de la calle como basura porque había niñas o niños en la calle. La educación era un privilegio porque una parte de ese mundo sólo conocía los privilegios. Y a la Iglesia, católica o protestante, le daba igual, sólo tenía diez mandamientos. Faltaba uno: "Amar a la naturaleza, de la que somos parte".

C.
Soñemos con un mundo donde los economistas no llamen nivel de vida al nivel de consumo, ni calidad de vida a la cantidad de cosas. Un mundo donde nadie se muera de hambre porque nadie va a morir de indigestión. Donde las niñas y niños de la calle no sean tratados como basura porque las niñas y niños de la calle no existen. Un mundo donde la educación no sea el privilegio de quienes puedan pagarla. Donde la Iglesia también tengan otro mandamiento, del que nos hemos olvidado: "Amar a la naturaleza, de la que somos parte". Un mundo donde las mujeres y los hombres sean seres humanos y no sólo recursos humanos.

9. Filosofando

Sugerencia:
1. Marta es tranquila, prefiere una vida sencilla, estable, piensa que consumimos demasiado.
2. Luis es ambicioso, quiere triunfar en la vida y parece una persona analítica. Cree que es importante la pareja y tener dinero para hacer lo que uno quiere.
3. Ernesto es optimista, cree que incluso la salud depende de nosotros mismos, que es importante cuidarse y tener relaciones interpersonales, parece una persona sabia que tiene en cuenta todos los aspectos con los que podemos influir en la felicidad.

11. Es un decir...

Estar herido en el orgullo. (negativo)
No dar pie con bola. (negativo)
Estar de capa caída. (negativo)
Tener un día de perros. (negativo)
Pasar una mala época. (negativo)
Hacer realidad un sueño. (positivo)
Llegar a lo más alto. (positivo)
Dar saltos de alegría. (positivo)
Venirse abajo. (negativo)

UNIDAD 11

1. Hablemos de futuro

A.
1. Seguro que antes comprará un buen mapa de la ciudad. Buscará alojamiento en un piso, porque así todo será más barato y divertido. Se pondrá en contacto con su tutora o tutor y así sabrá a qué cursos debe ir. También conseguirá un pase estudiantil para moverse por la ciudad con comodidad y sin gastar demasiado dinero.
2. Los turistas del futuro serán personas que no solo disfrutarán sino también cuidarán la naturaleza. Pasará sus vacaciones en lugares ricos en diversidad cultural. Viajarán para conocer otros lugares, otra gente y nuevas costumbres. Está claro que también buscarán sol y playas pero se interesarán también por el paisaje, las comidas típicas y el arte de la región.

2. Buenos consejos

A.
1. quieres, bájate
2. necesitas, búscalo
3. queréis, almacenadlos
4. hay, instala
5. necesitas, búscala
6. sabéis, consulta
7. puede, revise
8. pasáis, descansad, caminad, salid

B.
Sugerencia:
- Si estudias para el examen, lo aprobarás.
- Si ahorras suficiente dinero, te podrás comprar un coche.
- Si entiendes inglés, puedes ver muchas películas en versión original.
- Si tienes hambre, come algo del frigorífico.
- Si compras pescado fresco, cocínalo para la cena.

3. Condiciones para un caradura

Sugerencia:
1. Si no empiezas a buscar trabajo, no voy a trabajar más para ti.
2. Si vives en esta casa, tienes que colaborar en las tareas domésticas.
3. Si comes y cenas con nosotros, deberías cocinar algún día.
4. Si quieres que te lave la ropa, pondrás una lavadora cada 15 días.
5. Si mañana no limpias el cuarto de baño, puedes olvidarte de comer con nosotros toda la semana.

4. ¿Y tú qué harías?

Sugerencia:
1. Quizá iría devolver la cartera pero me quedaría con algo de dinero para no pasarlo tan mal.
2. Yo en ese caso nunca contestaría, las cámaras me dan miedo. Les diría que puedo contestar sin que me graben.
3. Supongo que iría a casa de algún vecino que conozca y normalmente se quede despierto hasta tarde.
4. A lo mejor terminaría llamando a la policía, pero primero intentaría hablar con ellos y razonar.

5. Conjeturas de una vecina

A.
¿Qué pasará en la casa del os Erasmus? ¿Estará llegando otra persona al piso? Seguro que hará aún más ruido. ¿Qué estará haciendo ese taxi? Hace media hora que está allí y no se va. ¿Y esos dos chicos, que estarán esperando? ¡Oh, ahora sale Alessandra con una maleta! ¿Serán amigos de ella? Alessandra querrá cambiarse de casa otra vez. ¿tendrá algún problema con los demás? ¡Pobre, es tan buena chica!...

B.
Sugerencia:
... cuando vi que llegaba un coche, luego me di cuenta de que era un taxi, y se quedó mucho rato delante de nuestro portal. Por ahí había dos chicos que estarían esperando a Alessandra, que salió con una gran maleta. Serían amigos de ella... Alessandra debe de tener algún problema con sus compañeros y por eso se quiere cambiar de casa.

C.
Sugerencia:

situación
David está hablando con Susana y parece preocupado.
Es el cumpleaños de Javier y no lo encuentro en casa.
Mari Carmen me ha recomendado una película horrorosa.
El abuelo no ha querido subir al coche y se ha ido por el parque.
Carmen y Teresa no se hablan.
Félix está buscando un piso de alquiler.

hipótesis sobre el presente
Estarán hablando de su padre, que está enfermo.
Estará celebrándolo con sus amigos.
Habrá ido a verla en el cine y le habrá gustado.
Tendrá ganas de caminar.
Habrán discutido por algo.
Se le habrá terminado el contrato.

hipótesis sobre el pasado
Estarían hablando de su padre, que está enfermo.
Estaría celebrándolo con sus amigos.
Iría a verla al cine y le gustaría.
Tendría ganas de caminar.
Habrían discutido por algo.
Se le habría terminado el contrato.

8. ¿Un consumo más razonable?

B.
Sugerencia:
a. Para rechazar la industrialización de la producción, distribución y consumo alimentario.

Soluciones

b. Las cooperativas acostumbran a tener un límite de 50 núcleos familiares para asegurarse que mantienen un tamaño acorde con el espíritu que las impulsa: todo el mundo trabaja y nadie cobra. De esta forma se consigue que entre el productor y el consumidor no haya ni un solo intermediario y que la comida ecológica mantenga un precio similar al de los alimentos que se cultivan y venden de forma industrial.

10. Los problemas del futuro

B.
Sugerencia:
Desertización: Cambio ecológico que ocurre como consecuencia de un cambio en el clima, que se vuelve más seco. La tierra deja de ser fértil y la vegetación desaparece casi por completo.
Superpoblación: Exceso de habitantes en el planeta Tierra, que no puede producir recursos suficientes para todos ellos.
Catástrofe: Hecho con consecuencias perjudiciales que suelen comportar destrucción.
Conflicto: Desacuerdo entre dos partes o choque de intereses.
Crisis: Cambio brusco con consecuencias traumáticas.

UNIDAD 12

1. Perífrasis

A.
1. Acaba de salir un estudio que explica la relación de los jóvenes con el tiempo libre en los últimos diez años.
2. El tiempo libre es una de las prioridades de los jóvenes: a veces dejan de dormir para disfrutar de la noche.
3. Por su situación económica, muchos jóvenes españoles tienen que vivir en casa de sus padres hasta más allá de los 30 años.
4. Muchos adolescentes suelen encerrarse en su habitación y relacionarse con gente desconocida a través de Internet.
5. Internet está a punto de superar a la televisión en la cantidad de tiempo que le dedica la gente joven.
6. Las actividades culturales siguen siendo las menos elegidas a la hora de salir los fines de semana.
7. Hay que tener en cuenta que las actividades de tiempo libre están relacionadas con las posibilidades económicas.

2. Vamos a empezar

A.
Sugerencia:
1.
● Hola Vere, soy Andrea. ¿Qué haces ahora?

□ Pues ahora mismo estoy estudiando para el examen.
● ¿No tienes ganas de dar una vuelta o tomar un café?
□ De verdad no puedo, tengo que estudiar.
● ¡Pero si ya lo sabes todo!
□ Mejor quedamos otro día. Además, va a venir un amigo para estudiar conmigo.
● Vale, vale... Entonces nos vemos otro día...

2.
● ¿Qué pensáis hacer en el puente de la Constitución?
□ Nosotros vamos a ir a París.
● Nosotras pensamos viajar a Londres. Hay ofertas buenísimas, pero no lo hemos decidido todavía.
□ Si tardáis demasiado os quedaréis sin billetes. Mucha gente va a Londres para estas fechas...
● Lo sé, lo sé... Pero Mónica está trabajando ahora en una nueva empresa y no sabe si le darán vacaciones...

3.
● ¿Todavía estás buscando piso?
□ Sí... y no encuentro nada que me guste.
● ¿Ya has intentado en la página de "Hogar, dulce hogar"?
□ Lo he intentado todo, pero los pisos que me gusten no los puedo pagar.
● ¿Has puesto algún anuncio en internet?
□ Sí, ya hace tiempo, pero lo quiero volver a intentar porque creo que ya es demasiado viejo.
● Buena idea. ¡Si me entero de algo te lo digo!

3. Acababa de llegar cuando...

A.
1. (acababa) g
2. (iba) f
3. (pensaba) a
4. (estaba) b
5. (iba) i
6. (iban) c
7. (pensabais) d
8. (pensaba) e
9. (acababa) h

B.
1. Acababa de salir / tuvo que volver
2. iba a hacer / acaban de poner
3. pensaba quedarme
4. estaba cenando
5. iba a subir
6. iban a pasar / tuvieron que quedarse
7. pensabais estudiar
8. pensaba quedarse / tuvo que volver
9. acababa de llegar

4. ¿Qué dice Alberto?

Pues dice que lo siente pero que hoy no podrá ir al teatro. Ha aparecido su jefe a última hora y tiene que terminar un informe urgentísimo para mañana. Dice que te diga que le sabe mal y que luego te llamará para veros el fin de semana.

5. Experiencias en el extranjero

A.

	Me contó que
me llamo	se llamaba
he venido	había venido
	Comentó que
estoy	estaba
	y que
me gustan	le gustaban
	Añadió que
me he acostumbrado	se había acostumbrado
	y me preguntó
tú qué haces	qué hacía
ya conoces	si ya conocía

B.
1.
Nuria me dijo que si algo le admiraba es que allí todo el mundo hablaba inglés, alemán o español. Me dijo que los holandeses tenían gran facilidad para los idiomas. Me explicó que ella vivía en una residencia de estudiantes que parecía Babel y que estaba muy contenta, aunque echaba de menos a su gente, ya que sabía que de allí se llevaría una experiencia para contarla toda su vida.

2.
Juan Carlos contó que él también sentía frío, ya que estaba en Salzburgo con una temperatura de tres grados bajo cero de máximo, y que la temperatura mínima ni si quiera nos la decía. Hablando del precio de las cosas, explicó que aquella era la ciudad más cara de Europa. También confesó que no se había acostumbrado a la comida de allí, y es que no hay nada como el jamón, los churros, el queso y el chorizo español.

3.
Susana afirmaba que su estancia en el extranjero había sido bastante difícil, que había ido al norte de Francia y le había resultado bastante difícil hacer amistades porque nadie tenía tiempo y que, además, no había conseguido adaptarse al clima de esa región, que era bastante duro. En cualquier caso, aseguraba que no se arrepentía de nada de lo que había hecho hasta el momento, creía que le serviría para aprender y para enfrentarse a otras situaciones duras para el futuro.

C.

estilo directo	estilo indirecto
Presente	Pretérito Imperfecto
Pretérito Indefinido	Pretérito Pluscuamperfecto
Pretérito Perfecto	Pretérito Pluscuamperfecto
Futuro	Condicional

8. Fósforos en el bolsillo

B.

llavero – llave
caja de fósforos – fósforos
billetera – dinero
azucarera – azúcar
piano – música
guía de teléfono – teléfonos
cama – sábanas
florero – rosas
boca – dientes
ropero – trajes

9. Formas de decir: "decir"

Sugerencia:
Bernard me ha confesado que está enamorado de Susana, pero que aún no le ha declarado lo que siente por ella. Está esperando al momento oportuno para pedirle si quiere salir con él. Me ha preguntado si me parece una buena idea proponerle un plan sencillo como ir al cine. Yo le he respondido que sí, que es una buena idea, y que espero que todo le salga bien. ¿Y tú qué opinas?
Espero que este secreto que te acabo de desvelar no se lo expliques a nadie a nadie. ¡No me gustaría que Bernard pensara que no se puede confiar en mí!

UNIDAD 13

1. Elige un pronombre

A.

Esto es algo que me contaron a mí hace mucho tiempo, cuando vivía en Suiza, donde tenía un amigo cuya familia tenía un restaurante. Allí iban muchos inmigrantes españoles que habían llegado a este país hacía bastante tiempo, y me dijeron que muchos de estos inmigrantes, que siempre se acordaban de su pueblo, adonde pensaban volver, encontraron novias en Suiza, con quienes se casaron y tuvieron hijos. Mi amigo era uno de esos hijos…

2. Morriña

A.

Morriña: Tristeza o melancolía, especialmente la nostalgia de la tierra natal.

B.

Juan, cuyos padres se llaman Juan y Juana, vino a vivir a Barcelona en 2010 desde Buenos Aires, de donde nunca tuvo que haber salido, según sus propias palabras. Juan vive donde antes vivían sus abuelos y va cada día a trabajar al bar Antic, que es el bar adonde voy yo a leer. Allí lo conocí hace ya unos meses. El camarero jefe, que me lo presentó entonces, me dijo que Juan era un tipo peculiar. Echaba de menos su ciudad natal, cuyos bares, según decía siempre Juan, tenían esa atmósfera especial de la capital argentina, de una bohemia auténtica y, lo que es más importante, ¡a unos precios más bajos!

3. Relativos

A.

1. Los mexicanos y mexicanas sin pareja, que constituyen aproximadamente una quinta parte de la población del país, gastaron un promedio anual de 1100 dólares en citas para encontrar a su media naranja.
2. Según una encuesta elaborada por Match.com, que es una prestigiosa agencia de contactos, el 67% de los hombres afirma que en el futuro se ve casado y con hijos.
3. La institución de la familia, que ha dejado de ser algo sagrado, ha experimentado cambios a lo largo de la historia.
4. Cristina Peri Rossi, que es poeta, narradora y traductora, nació en Uruguay en 1941 y se trasladó a España en 1972.

B.

1. Al volverse vio a un chico guapísimo que le ofrecía un chicle de menta.
2. Una encuesta de Match.com que trata sobre el valor de la familia, afirma que el 67% de los hombres se ve casado y con hijos.
3. La familia inglesa que conociste el año pasado va a volver a alquilar la casa de los Rodríguez este verano.

4. Alguien en quien confiar

1. Si tienes un amigo en quien confiar, tienes una de las cosas más importantes de la vida.
2. Dicen que los estudiantes holandeses son quienes aprenden lenguas más fácilmente.
3. Hay personas para quienes hacer un examen es un problema.
4. El chico de quien te hablé para trabajar en la película es un músico húngaro.
5. Las protagonistas de la historia son unas niñas a quienes les pasan muchas cosas interesantes.
6. A quienes quieran estudiar en América Latina, les recomiendo esta guía.
7. Quienes prefieran hacer el trabajo escrito en lugar del examen deben pasar por mi despacho esta semana.

5. ¡Así no hay quien lo entienda!

A.

chico con el que / carrera con la que / dinero, lo que

B.

1. Una amiga mía tiene un novio africano al que conoció en Marrakech, una ciudad donde estuvo de vacaciones, y que le encantó.
2. El examen para el que me preparé era demasiado difícil y no pude contestar las preguntas que tenía.
3. Anoche, en una fiesta, me encontré con un chico con quien había ido a la escuela y que estaba casado con una pintora italiana, cuyos padres me conocen.

6. ¿Recíprocos o reflexivos?

A.

1. reflexivo
2. recíproco
3. reflexivo
4. recíproco
5. reflexivo
6. recíproco
7. reflexivo

B.

1. Los niños y su padre se besaron para despedirse.
2. Vicky y Carlos se arreglan para ir a una fiesta de Carnaval.
3. Mi papá y mi mamá se conocieron hace treinta años y se quieren mucho.
4. La chica con la que vivo estudia en otra ciudad y solo nos vemos los sábados y domingos.

7. Problemas sentimentales

A.

Queridos amigos:
Hace tiempo que tengo problemas para encontrar pareja. He observado que no conozco a nadie que me guste y cuando me gusta una persona, siempre pienso que no le voy a gustar. Además, siempre busco parejas que se parezca a mi familia y cuando se parece mucho a mi familia, pienso que es gente aburrida. No hay nadie esté a la altura de mis expectativas y cuando encuentro a alguien que está a la altura de mis expectativas, me da mucho miedo. Y finalmente, si salgo con alguien que es agradable, dudo que sea la persona ideal, porque a mí esto no me pasa nunca.
No veo cómo puede cambiar mi situación, les estaré muy agradecido si me pueden ayudar en algo.

Atentamente,
Gabriel

8. Encuesta sobre la familia

A.

Tema de la encuesta del CIS: Los problemas del país y la familia.
Tema tratado en el artículo: La familia y el empleo.

B.

Pregunta 1: En una pareja, ¿quién debería trabajar menos horas para ocuparse de los hijos y del hogar?
Pregunta 2: ¿Cómo es su modelo de familia ideal?
Pregunta 3: ¿Qué es lo más importante en su vida?

Soluciones

9. En otras palabras

B.
Sugerencia:
El amor es algo sin reglas fijas.
Me siento tan mal que noto un dolor y un vacío.
Tu risa me hace sentir muy a gusto.

10. Las mil caras del amor

A.
Una persona puede ser / estar...
pasional, monótona, aburrida, convencional, estable, de película, difícil, informal, tradicional, infiel, fiel, abierta, soltera, comprometida, casada, libre, independiente, dependiente, necesitada, romántica, realista.

Una relación puede ser... pasional, monótona, aburrida, convencional, estable, de película, difícil, con altibajos, temporal, informal, sexual, intermitente, tradicional, duradera, abierta, libre, independiente, romántica.

11. Manos que hablan

A.
1. i
2. e
3. g
4. a
5. b
6. f
7. c
8. d
9. h

B.
1. mano sobre mano
2. nos echó una mano
3. echarle mano
4. me lavo las manos
5. mano izquierda
6. mano dura
7. con la mano en el corazón
8. en buenas manos
9. de segunda mano

UNIDAD 14

1. El mundo, hoy

A.
1. incorporación
2. lucha
3. cooperación
4. emigración
5. crecimiento
6. receptores
7. consumo
8. abrazos, besos y caricias
9. adopción

2. Apus en la Tierra

1. así que
2. cuando
3. hasta que
4. por eso
5. cuando
6. por eso

3. Trabajos académicos

1. se hace
2. se deben
3. se puede, se entiende
4. se considera
5. se resumirán
6. se presentará
7. se explicará
8. se expondrán
9. se comparan, se verá

4. Es una amiga mía

1. la mía
2. mías
3. la tuya
4. suyas
5. el tuyo
6. los tuyos

5. Pienso salir aunque haga mal tiempo

A y B.
1. haga / hace (ya ha sucedido)
2. haga (todavía no ha sucedido)
3. sigan / siguen (ya ha sucedido)
4. cambien (todavía no ha sucedido)
5. cueste / cuesta (ya ha sucedido)
6. cueste (todavía no ha sucedido)
7. tengas (todavía no ha sucedido)
8. duermo / duerma (todavía no ha sucedido)
9. es (todavía no ha sucedido)
10. se preocupan / se preocupen (todavía no ha sucedido)

6. Historia de un pueblo

A.
La emigración de españoles durante la década de los años 60 y la inmigración que recibe el país desde los años 90 hasta la actualidad.

B.
1. Un estudio afirma que la mayoría de los emigrantes españoles de los años 60 eran ilegales.
2. Según el estudio, los inmigrantes actuales no hacen que los españoles tengan menos trabajo.
3. El estudio explica la emigración española histórica y la compara con la inmigración actual.
4. Los emigrantes (de los años 60 y actuales) conocen la realidad del país adonde van y no son víctimas de la pobreza extrema.
5. Los inmigrantes provocan un "efecto de desplazamiento" en los trabajos que realizan los nacionales.
6. Muchos inmigrantes pagan la Seguridad Social pero regresan a su país antes de jubilarse.

C.
Sugerencia:
En la expresión "sin papeles", la palabra "papeles" se refiere a los documentos legales, como pasaporte, DNI o permiso de trabajo, que debe tener todo ciudadano que quiera vivir legalmente en un país. Decir "sin papeles", por tanto, es una manera coloquial de referirse a los inmigrantes en una situación irregular.

D.
1. ... a pesar de que el gobierno de Franco organizó la emigración.
2. ... si bien ya se había contado en libros, estudios y varias entrevistas de los propios trabajadores.
3. ... aunque la verdad es que abandonar el país de origen supone gastos que sólo puede pagar una persona con un ingreso mínimo.

8. Una cuestión intolerable

B.

palabras relacionadas con el tema	
palabras similares en otras lenguas	
homicidio	homicide (inglés)
torturar	torture (inglés o francés)
asesinar	violare (italiano)
	violate (inglés)
	assassiner (francés)
víctima	victime (francés)
	victim (inglés)
	vittima (italiano)
palabras derivadas de otras palabras	
intolerable	in + tolerar
aislar	a + isla + r
desaparición	des + aparecer
transnacional	trans + nacional
incapacidad	in + capacidad
narcotráfico	narco + tráfico

C.

a. **Qué pasó en Ciudad Juárez y Chihuahua.**
Durante las últimas décadas se instalaron empresas transnacionales en la zona. La rentabilidad industrial se basaba en la mano de obra local barata. Las primeras desapariciones y muertes de mujeres y niñas ocurrieron hace diez años y varias de las mismas eran empleadas de la maquila (ese era el nombre que recibían las empresas transnacionales). Aparte de empleadas de esas empresas, hubo víctimas como camareras o estudiantes.

b. **Cuáles son las reacciones de las autoridades.**
El discurso público de las autoridades reflejaba una abierta discriminación hacia las víctimas y sus familias, pero tras años de presión constante ejercida por las familias, las autoridades han tenido que corregir su retórica ante la opinión pública, aunque en los últimos diez años los responsables de investigar los crímenes no han desarrollado ninguna estrategia eficaz.

c. **De qué actividades**

de organizaciones no gubernamentales informa el texto. De presiones a la administración a lo largo de los años para que se esclarezcan los crímenes.

9. Verbos con preposición

A.

verbo + a	verbo + en	verbo + de
acceder	aislarse	acabar
acostumbrarse	caber	apoderarse
adaptarse	consistir	arrepentirse
asistir	convertirse	despedirse
asociarse	esconderse	enamorarse
atribuir	participar	enterarse
bajar	sentarse	escaparse
comenzar	pensar	gozar
emigrar	terminar	heredar
exportar	triunfar	importar
ir		inferir
llevar		olvidarse
pertenecer		preocuparse
reemplazar		provenir
referirse		sufrir
subir		tratar
traer		venir
viajar		volver

B.
1. triunfar en
2. se esconde en
3. se arrepiente de
4. sufre de
5. trato de
6. consiste en
7. bajo a
8. se ha convertido en

C.
estaba hecho polvo > estaba muy cansado
va viento en popa > funciona estupendamente
cretino > estúpido, engreído

UNIDAD 15

1. Un nuevo periódico

A.
¡Por fin hemos llegado! Después de mucho tiempo de preparación en nuestra redacción, podemos anunciar a todo el mundo que Via Rápida, tu periódico, ya ha salido a la venta. En este periódico tendrán cabida todas las noticias que ocurran en el mundo, especialmente en el mundo hispano. Y por otro lado queremos darte las gracias a ti, querido lector, por haber apostado por nuestra publicación para informarte. Para empezar, queremos prometerte que lo hartemos con

el mayor rigor posible: lucharemos siempre por ofrecerte una información contrastada y verídica. Además, a pesar de que haya malas noticias, no olvidaremos las noticias positivas, ya que pensamos que también mueven el mundo. En resumen, esperamos ser tu compañero de viaje de ahora en adelante. Via rápida empieza aquí, ¡Bienvenido a tu periódico!

2. Está ocupado todo el día

1. es
2. estoy
3. soy
4. estoy
5. es
6. está
7. es
8. está
9. es
10. es
11. está
12. es

3. Informaciones

1. La inmigración hispanohablante, en Estados Unidos, ya no está limitada a las grandes ciudades.
2. En la fiesta de disfraces, Magaly estuvo vestida de Caperucita Roja.
3. Estaba reservada la mesa para las nueve de la noche.
4. Como acaban de cambiarse de piso, todas las habitaciones estaban desordenadas.
5. La inscripción para los cursos de verano está abierta.
6. Vicky está enferma y no puede ir al cole. Está aburrida de estar todo el día sola en casa.

4. Variaciones lingüísticas

A.
Sugerencia:
Es un hecho conocido que América Latina y España presentan dentro de su territorio variaciones lingüísticas del español claramente importantes, aunque algunas comparten fenómenos fonéticos similares, como el seseo y la aspiración de la "s". En la Península Ibérica, el llamado español atlántico distingue el habla del sur del territorio de la del norte, y en América Latina hay formas de hablar absolutamente diferenciadas por regiones, como por ejemplo, los Andes, el Río de la Plata, el Caribe o la costa Atlántica de México, Centroamérica, Venezuela y Colombia: hablamos distinto pero indudablemente nos entendemos igual.
Como ocurre sin lugar a dudas con la mayoría de las lenguas, en cada país donde se habla español existe una variante estándar y variantes dialectales. Únicamente porque existen tantos estándares como países que las practican en los medios de comunicación, en su literatura y en el mundo académico, evidentemente podamos afirmar que el castellano o español es una lengua policéntrica.

Esencialmente todas las normas cultas son equivalentes, por lo tanto, deberíamos decir que no existe un español mejor o peor que otro.

7. Latinos en EEUU

B.
Prestigio cultural: Buena consideración (de la lengua española) en el ámbito de la cultura.
Comunidad lingüística: Grupo de personas que comparten la misma lengua materna.
Comunidad cultural: Grupo de personas que comparten los mismos rasgos culturales (lengua, folclore, costumbres...).
Identidad cultural: Sentimiento de pertenencia a una comunidad cultural.
Cultura dominante: Cultura con mayor prestigio cultural y mayor implantación sobre otras culturas vecinas.
Cultura originaria: Cultura del país de origen de aquellas personas que han emigrado a otros países.
Asimilar (otra cultura): Absorber y hacer propia una identidad cultural que no es la originaria.

8. Un discurso contra la injusticia

A.
Se trata del discurso de Michelle Bachelet, ex presidenta de Chile, ante la Asamblea General de las Naciones Unidas el 24 de septiembre de 2008.

9. El tiempo en el trópico

A.
cuatro estaciones / estación de lluvias / estación seca / época de lluvias tropicales / calurosa / soleada / humedad / tormentas / lluvias / cálidos / cinturón de lluvias

B.
(sol)
estación seca
calurosa
soleada
cálidos

(lluvia)
estación de lluvias
lluvias
cinturón de lluvias

(tormenta)
tormentas
época de lluvias tropicales
humedad

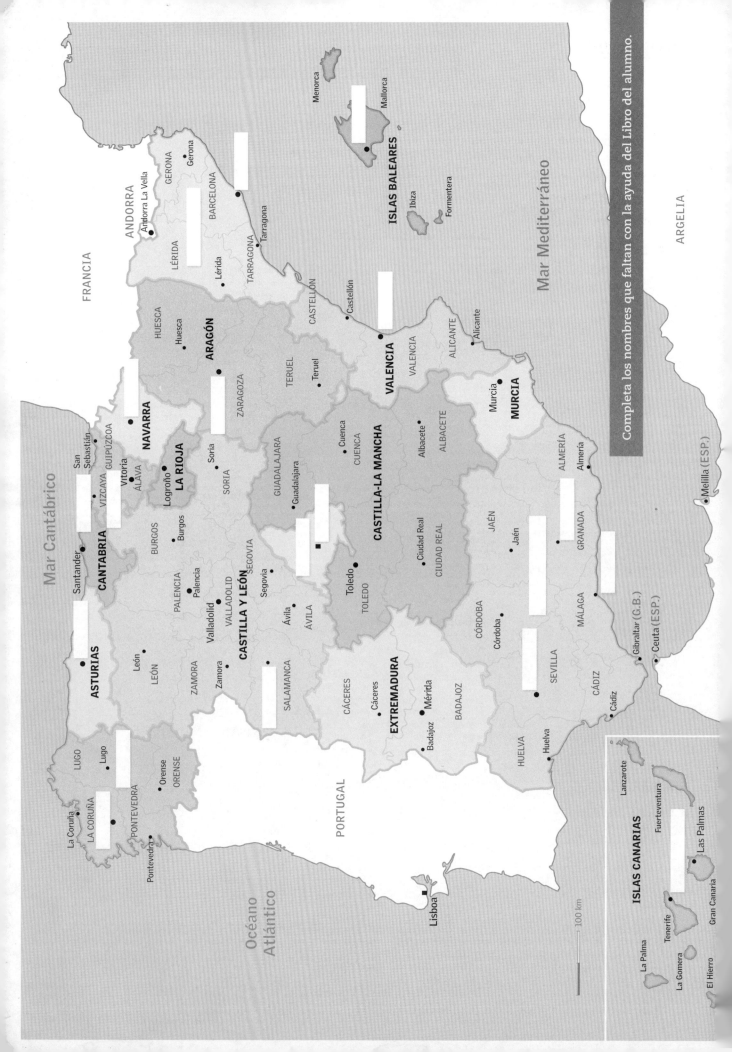

Completa los nombres que faltan con la ayuda del Libro del alumno.

Mar Cantábrico

Océano Atlántico

PORTUGAL

FRANCIA

ANDORRA
Andorra La Vella

Mar Mediterráneo

ARGELIA

ISLAS BALEARES

Menorca
Mallorca
Ibiza
Formentera

GALICIA / Map region names:

LUGO
Lugo
LA CORUÑA
La Coruña
PONTEVEDRA
Pontevedra
ORENSE
Orense

ASTURIAS

CANTABRIA
Santander

VIZCAYA
GUIPÚZCOA
San Sebastián
ÁLAVA
Vitoria

NAVARRA

LA RIOJA
Logroño

HUESCA
Huesca
ARAGÓN
ZARAGOZA
SORIA
Soria
TERUEL
Teruel

LÉRIDA
Lérida
GERONA
Gerona
BARCELONA
TARRAGONA
Tarragona

CASTELLÓN
Castellón

VALENCIA
VALENCIA

ALICANTE
Alicante

LEÓN
León
ZAMORA
Zamora
PALENCIA
Palencia
BURGOS
Burgos
VALLADOLID
Valladolid
SEGOVIA
Segovia
ÁVILA
Ávila
SALAMANCA

CASTILLA Y LEÓN

GUADALAJARA
Guadalajara
CUENCA
Cuenca
CASTILLA-LA MANCHA
TOLEDO
Toledo
CIUDAD REAL
Ciudad Real
ALBACETE
Albacete

MURCIA
Murcia

CÁCERES
Cáceres
EXTREMADURA
BADAJOZ
Badajoz
Mérida

HUELVA
Huelva
SEVILLA
CÓRDOBA
Córdoba
JAÉN
Jaén
GRANADA
ALMERÍA
Almería
MÁLAGA
CÁDIZ
Cádiz

Gibraltar (G. B.)
Ceuta (ESP.)
Melilla (ESP.)

Lisboa

100 km

ISLAS CANARIAS

La Palma
La Gomera
El Hierro
Tenerife
Gran Canaria
Las Palmas
Fuerteventura
Lanzarote

ESTADOS UNIDOS
DE AMÉRICA

Completa los nombres que faltan con la ayuda del Libro del alumno.

Golfo de
México

Guadalajara

CUBA

JAMAICA

BELICE
HONDURAS

Guatemala

Tegucigalpa

San Salvador

EL SALVADOR

Managua

San José

COSTA RICA

Panamá

REPÚBLICA
DOMINICANA

San Juan

HAITÍ

Santo
Domingo

Mar Caribe

Caracas

Medellín

COLOMBIA

Quito

Piura

PERÚ

GUYANA

Georgetown

SURINAME

Paramaribo

Cayena

GUAYANA
FRANCESA

Manaus

Belém

Fortaleza

Recife

Cuzco

BRASIL

Salvador

Brasília

Arequipa

BOLIVIA

Sucre

Océano
Pacífico

Antofagasta

Asunción

Rio de Janeiro

São Paulo

CHILE

ARGENTINA

Córdoba

Valparaíso

Islas
Juan Fernández

Mendoza

URUGUAY

Concepción

Mar del Plata

Península
Valdés

Océano
Atlántico

Océano
Atlántico

1000 km

Punta Arenas

Ushuaia

Isla Grande de
Tierra del Fuego

Islas Georgias
del Sud